Enkele reis Aix

# Marianne Witvliet

## *Enkele reis Aix*

EEN
UITGAVE
IN SAMENWERKING
MET HET CLK, TER GELEGEN-
HEID VAN DE WEEK VAN HET
CHRISTELIJKE BOEK EN
DE BOEKENWEEK
2004

UITGEVERIJ KOK - KAMPEN

*Enkele reis Aix* is uitgegeven in samenwerking met het CLK (Christelijk Lektuurkontakt) en verschijnt als uitgave ter gelegenheid van de Week van het christelijke boek en de Boekenweek 2004.

© 2004 Uitgeverij Kok-Kampen

ISBN 90 435 0764 4

NUR 301

Omslag en typografie: Geert de Koning
Omslagfoto: Lammert Boerman

Voor Nelleke en Joanne

# I

'Hier ben ik,' zei ze. Haar woorden leken in de hitte te hangen als warme adem in de vorst. Ze bukte zich om een kastanje op te rapen die was overgebleven van de herfst. Hij lag naast het grindpad dat naar het huis leidde, dof, de schil uitgedroogd. Ze stopte hem in haar jaszak en hield haar hand eromheen.

Het huis was anders dan ze verwachtte. Ze had zich een moderne bungalow voorgesteld, met gladde gazons, omheind met hoge heesters. Dit huis was lang en laag en had de vergane glorie van een voormalig klooster of een oude abdij. Er moesten veel vertrekken zijn, ze telde onwillekeurig de smalle boogramen die aan weerszijden van de voordeur diep in de gepleisterde muur stonden. Zes links, zeven rechts. De kleine ramen gaven het huis de grimmige uitstraling van een vesting. De klaprozen die zich langs de zijmuren en tussen de perken in het wilde weg hadden uitgezaaid, konden deze indruk niet verzachten.

Ze liep om de zonnewijzer heen die midden op het grindpad stond. Boven de brede voordeur was in de vorm van een geometrische driehoek een timpaan gebeiteld. De sober bewerkte zijposten werden geflankeerd door slanke cipressen die tot boven het verschoten rood van het pannendak reikten.

Vanaf de top van de linker cipres klonken hoge, nerveuze trillers van een piepkleine zanger. Toen ze omhoog keek, zag ze het opengesperde stompe snaveltje van een heldergeel vogeltje. Zoveel geluid uit een handjevol veren, dacht ze verwonderd. Het geluid dwarrelde naar beneden en vermengde zich met het zachte gezoem van cicaden.

Ondanks de warmte kroop er een rilling over haar rug. Ze moest de tijd rekken, ze was te gespannen nu. Het was nergens voor nodig, hield ze zich voor, er was niemand die haar verwachtte, dat moest in haar voordeel werken.

Het huis lag roerloos gevangen in een stilte. Nergens bewoog iets, alleen de cicaden en de Europese kanarie wisten niet van ophouden.

De vraag was of hij hier nog woonde, of hij niet al overleden was.

'Kun je hier iets mee?'
'Wat zijn dat?'
'Fotoalbums van je moeder.'

Haar vader had haar twee in leer gebonden fotoalbums met zwart-witfoto's gegeven. Je moeder, zei hij. Dat klonk alsof ze haar zopas nog gezien hadden. Maar ze was acht geweest toen haar moeder overleed. Slechts vaag herinnerde ze zich haar stem, terwijl ze voorlas. Een stem die trager en zwakker werd naarmate de ziekte vorderde. In gedachten zag ze smalle handen voor zich met ringen die almaar wijder leken te worden. Ze had vaak geprobeerd zich haar moeder te herinneren voor ze geveld werd door een traag om zich heen grijpende tumor. Foto's van haar moeder – lachend naast haar vader op een terras, haar hoofd iets opzij, een hand in haar donkere krullen – lieten iemand zien die zij niet kende. Ze dateerden van voor haar geboorte of uit de eerste jaren van haar leven.

Een van de vroegste beelden uit haar kinderjaren was een bed dat in de hoek van de kamer bij een raam had ge-staan. Gedempte stemmen om haar heen, die susten. Handen die haar bij haar moeder weghaalden omdat ze naar school of naar bed moest of omdat ze te druk was, haar moeder moest slapen, ssst.

'Hoe kom je daaraan?'
'Gevonden bij het inpakken.'
Dat was niet waar, wist ze. Hij kende de albums als niemand anders, maar had op de een of andere manier besloten ze niet eerder aan haar te geven. Hij ontweek haar vragende blik, ze vroeg niet verder. Niet nu de ster-ke band die jaren tussen hen bestaan had, losser werd. Na de dood van haar moeder leek zijn werk de leegte in zijn bestaan te vullen. 's Avonds hielp hij haar met haar schoolwerk en moedigde haar aan verder te leren. Zij deed haar best, volgde de middelbare school bijna gretig, maar toch altijd met een gevoel iets uit de weg te gaan. Daarna ging ze studeren en woonde ze op kamers.

Vorig jaar had haar vader haar verrast met een vrien-

9

din. Ze had weerzin gevoeld. Na zoveel jaren wilde ze als enig kind haar vader niet delen met een vreemde. Hij vroeg haar begrip voor zijn keuze. De vriendin, Claire, was van Canadese afkomst. Het uiteindelijke vertrek naar Canada, waar een nevenvestiging was van het bedrijf waarvoor hij werkte, lag voor de hand.

In de weken die op het huwelijk volgden, hielp ze hem met inpakken en uitzoeken. Ze probeerde Claire aardig te vinden. Maar juist omdat ze toen voortdurend dingen vasthield die van haar moeder geweest waren, kon ze niet vertrouwelijk worden. Daarvoor was bovendien de tijd te kort. Uiteindelijk besloot ze dat het beter was zo. Als ze haar vader toch aan iemand moest afstaan, kon het beter rigoureus, als een chirurgische ingreep.

Toen ze hem in het voorjaar op het vliegveld uitzwaaide, had ze het ijskoud. Ondanks het mooie weer had ze haar winterjas aangehad.

Aanvankelijk had ze de albums gemeden. Pas een paar weken na het vertrek van haar vader had ze op een avond moed gevonden de oude fotoboeken te pakken en open te slaan. Op glanzende zwart-witfoto's met kartelrandjes zag ze haar moeder als jong meisje, slank en heel donker, een typische Française, dochter van een Fransman en een Hollandse moeder. Ze zag zichzelf als baby, in de armen van haar moeder of haar vader. Verder in het album was ze een blonde kleuter op de arm van haar grootouders van moeders kant. De ouders van haar vader waren overleden voor zij geboren werd. Ze zat in een gesteven jurkje op schoot van oma Seaubonnet, op de foto ernaast in hetzelfde jurkje op de schouders van opa Seaubonnet. Van deze opa herinnerde ze zich één woord. Vlas. Haar als vlas had ze, zei hij een keer toen hij haar paardenstaart in zijn hand had gehouden. Ze had zich losgewrikt, het had haar pijn gedaan. Ze was naar buiten gerend, onzeker, niet wetend wat vlas was, of dat mooi was of niet. Toen ze leerde dat vlas op de velden groeide, wist ze nog steeds niet wat hij bedoeld had. Op haar tiende ontdekte ze het, toen ze las dat Niels Holgersson een lange, magere jongen was met piekend vlashaar. Haar opa had het niet als compliment bedoeld.

Ze kwam hem en oma Seaubonnet alleen tegen op heel vroege foto's. Vanaf dat zijzelf een jaar of vier was ontbraken ze in de albums. Er waren nog foto's van haar ouders en haarzelf, tot ze een jaar of acht was, het jaar dat haar moeder overleed.

Verbijsterd had ze voor zich uitgestaard. Ze had een grootvader die, hoewel zeer oud, mogelijk nog leefde. Ze had haar vader ernaar gevraagd. 'Hard als graniet,' was het enige wat hij zei. Er lag een bittere trek om zijn mond.

Het album had roerloos in haar handen gelegen. Ergens in de verte hoorde ze de zwakke stem van haar moeder die haar verzocht niet naar opa en oma te vragen. Ze herinnerde zich het gebaar waarmee haar vader de rouwkaart van oma terzijde legde en haar verbazing toen hij niet naar de begrafenis ging.

Hij had haar verteld dat haar grootvader na het overlijden van zijn vrouw naar het zuiden van Frankrijk was verhuisd, waar hij vandaan kwam. Hij was de zoon van een wijnboer. Destijds was het niet veel meer geweest dan een mededeling.

Ze had verder gebladerd en was in het tweede album een envelop tegengekomen. Er zat een kopie van een brief in. De brief was van haar vader, gericht aan zijn schoonouders. Boven aan de brief stond in potlood een notitie. 'Foto van Inge bijgesloten.'

*Beste vader en moeder,*

*Inge vierde deze week haar vierde verjaardag en hoopt binnenkort voor het eerst naar school te gaan. Ze is blond, maar ze lijkt op Dees, ze heeft dezelfde oogopslag, dezelfde beweeglijkheid. Désirée geniet van haar, maar ze is snel moe. Ze probeert Inge voor te lezen en zoveel mogelijk bij zich te hebben, maar de ziekte neemt haar lichamelijk en geestelijk geheel in beslag. Het doet ons pijn dat ze u beiden niet af en toe bij zich heeft, al moet ik schrijven dat zij kracht put uit haar geloof en uitzicht heeft op een leven waar tranen vreemd zijn.*

*Als er dingen zijn voorgevallen die u griefden, dan bied ik u onze excuses aan. Ze zou u zo graag nog een keer zien.*

*Marc*

Het was een smeekbede, maar tegelijk een stijve brief. Haar moeder had uiteindelijk nog vier jaar geleefd. Ze kon zich een verzoening niet herinneren, ze was te jong geweest. De grote vraag was wat er gebeurd was en waarom. Haar vader had blijkbaar een foto van haar gestuurd. Die moest nu ergens bij deze grootvader zijn die haar destijds niet wilde kennen. Ze voelde verzet, woede, vechtlust.

Ze liep naar de voordeur en drukte op de bel.

# 2

Ze schrok van het harde elektrische geluid. Toen het wegstierf, hing de stilte opnieuw om haar heen. De blauwe borders langs het grind leken verwilderd. Komkommerkruid, lupine en lavendel hadden vrij spel en kropen uitbundig door elkaar heen. Een bougainville had zich speels over een allang niet meer geknipte taxushaag geslingerd.

Ze deed instinctief een stap terug toen de zware deur week. Vanuit een donkere hal keek een vrouw haar aan met dichtgeknepen ogen. Ze hield de hand op het voorhoofd als een luifel tegen het licht.

'Bonjour,' begon ze. Toen, nerveus: 'Spreekt u Nederlands?' Haar Franse zinnen sneuvelden nog voor ze iets gezegd had.

De vrouw knikte zwijgend.

'Woont meneer Seaubonnet hier?' Haar stem klonk onvast.

De vrouw knikte opnieuw, de hand nog steeds boven haar ogen.

'Ik ben familie. Ik wil hem graag bezoeken.'

'Meneer ontvangt doorgaans geen bezoek. Familie, zei u?'

'Ik ben zijn kleindochter.'

De deur ging wat verder open. 'Komt u binnen,' besloot de vrouw aarzelend. Ze keek zorgelijk, streek met haar hand warrig, grijs haar uit het gezicht. Het was moeilijk haar leeftijd te schatten. Ze had kleine, vriendelijke ogen en een gladde huid, maar ze moest de zestig gepasseerd zijn.

Ze stak haar hand uit. 'Inge Hemmaerts,' zei ze.

'Ik wist niet…' zei de vrouw. Ze brak af. 'Dini Boogerts heet ik,' zei ze. 'Zeg maar Dini.'

Ze liep voor haar uit een enorme hal door, een paar stenen treden af, een grote woonkeuken in.

'Wilt u iets drinken? Koffie? We hebben hier nog altijd Nederlandse gewoontes.' Het klonk als een verontschuldiging.

'Graag.' Dat klonk te gretig, bedacht ze. Haar handpalmen voelden klam. Nerveus veegde ze haar handen droog langs haar heupen. Het was in de keuken koud als in een kerker.

De vrouw had zich omgedraaid. Ze vulde een ketel met water en zette hem op het fornuis. 'Een kleindochter,' zei ze. Ze draaide zich om. 'Ik wist niet dat er een kleindochter was.'

'U weet wel dat hij een dochter had?'

Dini knikte.

'Mijn moeder.' Ze aarzelde, vroeg het toen toch: 'Waarom ontvangt hij geen bezoek?'

Dini stond met de rug naar haar toe. De damp van het kokende water dat ze in de koffiefilter schonk, kringelde om haar heen. De geur van koffie vulde de keuken. Ze leunde achterover.

15

'Hij heeft reuma, in een vergevorderd stadium. Bovendien is hij bijna blind,' zei Dini.

Een slechtziende, vergroeide man. Dat leek vooralsnog weinig op het beeld dat haar vader van hem had gegeven.

Dini zette de koffie voor haar neer in een brede, gele kom. Een geschilderde olijftak met zwarte olijven slingerde om de rand. 'Er komt hier zelden iemand. Gigou, de wijnboer van hiernaast, is de enige die hij langer dan een uur verdraagt. Ik deed het huishouden al in Nederland, toen mevrouw Seaubonnet nog leefde. Toen hij hierheen verhuisde na haar overlijden, ging ik mee. Zijn vader kwam hier vandaan, misschien weet u dat. De geneeskrachtige bronnen waren ook een reden om naar deze omgeving te verhuizen. Maar de reuma was niet tegen te houden. De laatste jaren verzorg ik hem.'

'Hoe lang woont hij hier?' Ze hield haar handen om de kom en voelde de warmte terugkeren.

'Eens denken. Dat moet nu twaalf... nee, dertien jaar zijn.' Ze keek haar onderzoekend aan. 'U bent blond, maar u lijkt toch op uw moeder. Ik ken haar van foto's die mevrouw mij liet zien. Ze was net getrouwd toen ik bij de familie kwam werken.' Ze stond op. 'Ik zal vragen of hij u wil ontvangen.'

Dini bleef lang weg. De keuken was van een propere eenvoud. De ouderwetse woorden kwamen hier als vanzelf bovendrijven. Op planken langs de muur stonden emaillen weegschalen en oude melkkannen. In een enorme schouw was een rooster bevestigd. Om vlees te grillen, misschien om pannen warm te houden. Het fornuis was bijna antiek, maar glanzend gepoetst, dat zou nog jaren meegaan. Aan een roede hingen een paar koperen pannen. Op de grof gepleisterde muren zag ze gravures van jachttaferelen. De vloer had zwarte en witte plavuizen. In de hoek van de keuken was een zware deur die waarschijnlijk toegang gaf tot een kelder.

Vanuit een ander vertrek hoorde ze stemmen. Een zwaardere stem boven die van Dini uit. Haar stem sussend, overredend er weer tussen.

Dini kwam terug. Ze deed zorgvuldig de deur achter zich dicht.

'Hij wenst u morgenochtend te ontvangen, om elf uur.'

Ze stond op. Hij wist wie ze was, hij wilde haar ontmoeten, zij het blijkbaar niet van harte.

'Woont u in Frankrijk?' vroeg Dini.

'Ik woon in Nederland, in Leiden, maar ik ben een paar weken hier. Ik logeer in een hotel in het centrum van Aix-en-Provence en ik heb een auto tot mijn beschikking. Het is geen probleem om hier morgen weer naartoe te rijden.' Ze lachte haar toe. 'Hartelijk dank voor de koffie.'

Toen ze buiten stond, merkte ze dat ze de kastanje in haar hand geklemd hield.

Het begon te regenen. Eerst zacht, maar toen ze de stad binnenreed, viel het water hard en recht op de voorruit. De plattegrond van Aix-en-Provence lag naast haar op de bank. Dankzij de Cours Mirabeau, die het centrum grofweg in tweeën deelde, was Aix een vrij overzichtelijke stad. De brede boulevard liep vanzelf over in rondwegen. Het hotel lag vlak achter de Cours aan een pleintje, dat het begin leek van een wirwar aan straatjes.

Ze was laat aangekomen de dag ervoor. Eenmaal in Aix was ze moe geweest en had ze alleen het hoognodige meegenomen naar haar kamer in Hôtel de Paris. Ze moest nu eerst haar koffers uit de auto halen.

Ze reed een zijstraat van de boulevard vlak bij het hotel in, maar vond pas veel verderop parkeerruimte. Een paraplu, die moest ze eerst en vóór alles aanschaffen. Met haar handtas boven haar hoofd rende ze terug naar de Cours en stapte op goed geluk een warenhuis binnen dat het midden hield tussen een goedkope parfumerie en een souvenirwinkel. Naast posters met Van Gogh's zonnebloemen en hoog opgestapelde plastic emmertjes lagen een paar opvouwbare paraplu's van het soort dat je meestal in de trein liet liggen.

Toen ze bij de auto terugkwam, was ze drijfnat. De autosleutels glibberden in haar hand. Ze drukte op het knopje van de afstandsbediening. Ze drukte nog eens, liep de straat op en deed een nieuwe poging vanaf de andere kant. Zo langzamerhand kreeg ze het gevoel dat ze voor gek stond. Voorbijgangers keken meewarig om. Ze hield de paraplu wat lager, zodat haar gezicht in de schaduw bleef. Ze zou toch niet bij de verkeerde auto staan, maar nee, de kaart lag op de voorbank. Als ze haar in Marseille maar geen streek geleverd hadden met batterijen die het niet meer deden. Geërgerd liep ze terug naar de boulevard, waar gestreepte zonneschermen boven de terrassen de regen tegenhielden.

Ondanks de regen was het drukkend warm. Terwijl ze tussen de volle tafeltjes door naar een stoel zocht, bestelde ze in het voorbijgaan een espresso. De regen roffelde op het scherm en overstemde gesprekken om haar heen. Ze trok een stoel opzij en keek besluiteloos naar de bladeren van de oude platanen, die door de zware druppels heen en weer bewogen.

Naast haar trok een man een stoel opzij. 'Is deze vrij?'

Ze knikte. Bij een tafeltje voor haar schudde een duif het water van zijn veren terwijl hij verwoed aan een plastic bakje met etensresten trok. De duif was een doordouwer: ze zou aan hem denken als haar missie dreigde te mislukken. Hard als graniet, had haar vader altijd gezegd. Een onwrikbaar mens. Ze zou niet rusten voor ze de antwoorden op haar vragen had gevonden.

'U ziet eruit of u op zon had gerekend.'

Ze keek verstoord opzij. De man was eind dertig. Donker, met sprekende ogen onder zware wenkbrauwen. Ze moest weer wennen aan het Frans: ze zat zijn zin te vertalen alsof ze op school zat. 'Als ik al geïrriteerd ben, dan toch niet door het weer,' zei ze.

'Hollandais?'

Ze knikte.

'Ik dacht het al.'

'Ik draag toch geen klompen,' zei ze. Ze kon in ieder geval weer Nederlands spreken.

'Het was een gok. Ik woon hier. Tot de zomer maak je doorgaans alleen praatjes met bejaarden die geld genoeg hebben om de winter in het zuiden door te brengen, daarna zijn het Nederlandse toeristen die geen behoefte hebben aan landgenoten.'

'Ik ben toerist.' Het klonk bot en bovendien was het de vraag of Aix ooit in haar herinnering zou achterblijven als ontspannen vakantieoord.

'Zal ik opstappen?' vroeg hij hoffelijk.

'De afstandsbediening van de auto weigert en nu krijg ik mijn koffers niet uit de achterbak.' Als hij een gesprek wilde, kon ze het net zo goed uitbuiten. Ze wees op de sleutels. 'De auto heb ik in Marseille gehuurd, ik kan moeilijk terug.' Ze schoof de sleutelbos opzij voor de ober, die de espresso neerzette en *bière blonde* noteerde voor haar tafelgenoot. De sleutels lieten een plasje water na op het tafeltje.

'Vocht,' zei hij. 'Waarschijnlijk doen ze het morgen weer. Tenzij u er even de föhn op zet.'

'Die zit nou net in de koffer.'

'Je kunt met de sleutel de zijportieren openen.'

Ze keek hem meewarig aan.

'Dat had ik ook al bedacht. Maar de koffers liggen in de achterbak. Die heeft geen slot, die reageert alleen op dat ding.'

'Als je een portier opent, kun je in de meeste auto's de achterbank naar voren klappen. Het is omslachtig, maar je komt wel in de kofferbak uit.'

Ze veerde overeind. 'Wat een opluchting. Weet u het zeker?'

'Zoek naar knoppen aan de zijkant van de achterbank en druk die in.'

'Ik ga het meteen uitproberen. Doet u iets met auto's?' Het interesseerde haar niets, maar ze kon tenminste een beetje belangstelling tonen.

'Ik geef gastcolleges hier.'

'Iets technisch?' Alsof een academische graad een voorwaarde was om te weten hoe je de kofferbak kon bereiken.

'Politicologie.'

Ze dronk beschaamd het restje koffie op en pakte de sleutels. Haar jurk plakte aan haar benen. Ze lachte naar hem en schudde demonstratief haar natte haar. 'Ik kan de föhn straks goed gebruiken.' Ze draaide zich om, stak haar hand met de paraplu omhoog bij wijze van groet en liep zonder om te kijken de Rue du Quatre Septembre in.

Ik had hem kunnen bedanken, dacht ze.

# 3

Een oude, getaande adelaar. Zijn scherpe, iets gebogen neus stak naar voren als een snavel. Zoals hij daar in de stoel zat, roerloos, iets voorovergebogen, leek hij nog het meest op een model uit het museum van Madame Tussaud. Hij tuurde haar richting uit, zijn handen op de knieën. Blauwe aderen kropen over de gevlekte handruggen, de vingers leken links en rechts te willen afslaan. Een tengere man, met wit, weerbarstig haar dat als een krans om de schedel groeide. Hij droeg een onberispelijke broek met een tweedjasje over een dunne koltrui. Over de leuning van zijn stoel hing een stok met een fraai ivoren handvat in de vorm van een leeuwenkop. Zijn voeten staken in wijde pantoffels, die medelijden wekten vanwege het contrast met de scherpe vouw in de broek.

De sfeer beviel haar, al had ze na de eenvoud van de keuken niet verwacht dat de kamer zo weelderig zou zijn ingericht. De muren hingen vol kunst. Etsen, olieverven in zware vergulde lijsten, oude Japanse prenten. Op tafels lagen stapels boeken die moesten dateren uit de tijd dat hij nog kon lezen. Het rook sterk naar bloemen. Ze zag oranjegele fresia's op een tafeltje. Fresia's, die was ze tegengekomen op de foto's in haar moeders album. Ze hadden in tulpvormige slanke vazen op gesteven linnen tafelkleedjes gestaan.

Ze stond voor hem, maar hij keek vlak langs haar heen. Het was onthutsend te bedenken dat als hij zo weinig zag, de schoonheid van zijn eigen bezit hem ontging.

'Wat kom je hier doen?' vroeg hij.

'Ik wilde u graag ontmoeten. Ik ben uw kleindochter,' zei ze.

'Ik heb niet de behoefte.' Zijn stem was opvallend diep en volumineus voor iemand die ver in de tachtig was.

'Maar ik wel.'

Het getik van klokken leek het gesprek in beweging te willen houden zoals een metronoom de pianospeler. Evenwel zei hij niets. Voor zich zag ze tussen een comtoise en een Zaanse klok met veel koper, een staand Engels horloge. Bronzen vijzels had hij ook. Ze stonden op een antieke secretaire, op de schouw boven de open haard, op de tafels en zelfs op de grond, uit de looproute.

'Ik zou graag met u praten. Over thuis, over mijn moeder. Ik heb zo weinig herinneringen. Rekening houdend met uw gezondheid uiteraard.' Ze verhief onwillekeurig haar stem alsof ze niet tegen een blinde, maar tegen een dove sprak. Zijn ene hand klemde om het gezwollen gewricht van de knie. Het been begon licht te beven.

'Hoe heette je ook alweer?'

'Inge Hemmaerts.'

'Ik kan me geen kleinkind herinneren.'

Ruim twintig jaar was een lange tijd. Maar een kleindochter vergat je niet. Hij zou zich haar vader herinneren, zijn naam. Ze rechtte haar rug, ze zou zich niet verdedigen voor het feit dat ze bestond.

'Mijn vader heeft u eens een foto gestuurd.' Misschien was hij toch vergeetachtig.

Hij zei niets.

Destijds had hij ook een rouwkaart ontvangen. Na het bekijken van de fotoalbums had ze haar moeders papieren zorgvuldig nagelezen. Ze had, in haar vaders handschrift, een adressenlijst gevonden van mensen aan wie een rouwkaart was gestuurd. Zijn naam stond erbij, hij woonde toen nog in Haarlem. Tussen de condoleancebrieven had ze er geen van hem gevonden. Hoe oud was ze toen? Acht. De eenzame jaren daarna trokken in een flits voorbij. Ze zag zichzelf weer avonden achter haar bureautje zitten, verbeten, met brandende ogen boven haar huiswerk. Ze zou graag gaan zitten nu, maar hij bood haar geen stoel aan.

'U kwam regelmatig op bezoek toen ik een baby was. Foto's wijzen dat uit.' Vriendinnen van haar bewaarden dierbare herinneringen aan grootouders. Aan uitstapjes naar de dierentuin, aan een kerstfeest, een jaarwisseling. Zij wist van deze man niet veel meer dan zijn naam.

Hij zweeg. Een vijandig, afwerend zwijgen.

Ze keek om zich heen. Dit was geen huis voor hem. De drempels waren te hoog. Er lagen Perzische tapijten op de houten vloer. Hij zou onmogelijk de trap naar de keuken kunnen afdalen, al was dat Dini's domein. Elke drempel moest een obstakel zijn.

'Dit huis heeft heel wat hindernissen, dat zal niet gemakkelijk voor u zijn,' probeerde ze de spanning te breken.

'Ik zit niet in een rolstoel.'

Ze keek naar de mismaakte handen, naar de voeten in de wijde pantoffels. Ze verdroegen allang geen schoenen meer. Je kon zien hoe de vergroeiingen tegen de zijkanten duwden, alsof ze naar buiten wilden. Hij deed haar aan iemand denken, ze wist niet wie.

In de stilte die volgde sloegen de klokken. Links, rechts en achter haar vielen vrijwel gelijktijdig de slagen.

'Houdt u van klokken?'

'Ik kocht kapotte klokken en repareerde ze.'

'Was het uw vak?'

'Nee, ik ben gynaecoloog.' Hij sprak in de tegenwoordige tijd, alsof het onderzoeken van vrouwen nog altijd tot de dagelijkse routine behoorde. Alsof hiernaast de wachtkamer vol zat met vrouwen. Toen ze naar zijn handen keek, voelde ze zich misselijk worden. Nooit hadden haar ouders verteld wat hij gedaan had. Zijzelf had er niet naar gevraagd. Ze voelde zich ineens verschrikkelijk ongemakkelijk, alsof ze zelf een van de patiënten was.

'Die klok hier op de muur naast mij, is dat een Friese?' Haar stem trilde, het zou hem niet ontgaan. Blinden hoorden alles.

'Een stoeltjesklok. Mooi?' Hij boog zich iets voorover.

'Je moet ervan houden. Die comtoise vind ik mooier.'

Zijn interesse leek te ontwaken. 'Eind achttiende eeuw. Zie je dat koperen haantje? Hij kijkt vooruit. Je hebt er ook die achterom kijken. Daar houd ik niet van, van terugkijken. Het verleden is dood.' Toen ze zweeg zei hij: 'Niemand die zijn hand aan de ploeg slaat, en ziet naar wat achter hem is, is bekwaam tot het koninkrijk Gods. Als je dezelfde opvattingen hebt als je moeder, moet jij dat ook vinden.' Hij tuurde haar richting uit, loerend, met lege ogen.

Waar haalde hij die tekst vandaan? Misschien uit een familiebijbel? Bezocht hij hier wel eens een klooster of woonde hij een mis bij? Ze wilde zeggen dat Jezus doelde op de manier waarop de vrouw van Lot omkeek, vol heimwee naar een wereld die haar ondergang zou zijn. Dat was iets anders dan interesse in het verleden. 'Daarmee verbiedt God niet het recht op je eigen geschiedenis, want dat is wat u bedoelt, neem ik aan,' zei ze slechts.

'Hoe oud ben je?' vroeg hij.

'Eenendertig.'

'Dan zou je volwassen moeten zijn.'

Ze zwikte op de rand van het vloerkleed, ze kon zich net staande houden. 'Ik zou graag terugkomen, maar ik zal vooraf bellen wanneer en of het u schikt.' Haar stem klonk laag.

'Wat doe je voor de kost?'

Terwijl ze naar de deur liep, draaide ze zich om.

'Ik ben mensendiecktherapeut.' Ze wachtte zijn reactie niet af. Maar terwijl ze zacht en nadrukkelijk de deur sloot, hoorde ze hem minachtend snuiven.

# 4

Het was droog en zonnig, ze kon vandaag wel eens naar de kust gaan. Cassis was niet zo ver en bovendien had ze een overvloed aan tijd. Ze was nog steeds bezig het bezoek van eergisteren te laten bezinken en het kon geen kwaad grondig na te denken over een volgende visite.

Ze propte haar badlaken in een plastic tas en liep de trap af naar de hal van het hotel. Het trappenhuis wentelde langs vijf verdiepingen. Een bekwame smid had in de balustrades acanthusbladeren en druivenranken gedreven. Hoe lang zou dat geleden zijn? Het trappenhuis moest de spil van een statige villa zijn geweest, die, zoals de meeste gebouwen van deze omvang, in verval was geraakt tot iemand op het idee kwam een hotel te beginnen. Men had in het midden van de schitterende spiraal een liftkoker laten optrekken die de glorie van het trappenhuis met de grond gelijkmaakte. Hoewel het hotel in het centrum lag, heerste er stilte. Een serene stilte, die weldadig aandeed in vergelijking met de zwijgende impasse die om haar grootvader hing.

Ze had een koele kamer aan de achterzijde, met zware

luiken die ze 's nachts dichtdeed. 's Morgens ontbeet ze in een oude balzaal en zag ze zichzelf weerkaatst in veertien spiegels met vergulde lijsten. Terwijl ze warme croissants smeerde, verbeeldde ze zich hoe een violist menuetten van Mozart speelde onder een van de palmen in de hoek en toekeek hoe jonge vrouwen over het gladde parket wervelden.

Ze gaf de sleutel aan de portier, die haar afwezig toeknikte.

Achter het stuur probeerde ze haar schouders te ontspannen. Ze bewoog ze afwisselend terwijl ze de afgelopen maanden overdacht. Het huwelijk van haar vader had dieper ingegrepen dan ze wilde toegeven. Ze besefte nu pas hoe vaak ze hem gebeld had, hoe vertrouwelijk ze waren geweest, hoe ze de gesprekken miste die de diepte ingingen, door de bodem van het dagelijkse leven heen.

De albums hadden haar op het idee gebracht hierheen te gaan. Ze had reisgidsen gekocht en plannen gemaakt voor het geval haar grootvader niet meer leefde of haar niet meer zou herkennen. Twee maanden zou ze vrij nemen. Toen ze haar koffers had gepakt, zonk de moed haar alsnog in de schoenen. Ze was naar de telefoon gelopen, maar de gedachte aan Claire had haar ervan weerhouden om haar vader te bellen. Ze was jaloers, gaf ze toe, ze kon de gedachte niet verdragen dat hij haar missie, want zo zag ze het ondertussen, zou delen met een vreemde. Het was trouwens de vraag of hij het waardeerde dat ze Seaubonnet bezocht.

Ze was vertrokken zonder dat haar vader het wist.

Terwijl ze via de zuidkant van Aix de A8 opreed, draaide ze het raam van de auto wijd open. Geuren van lavendel waaiden naar binnen. Ze begreep nu waarom Cézanne en Van Gogh hier geschilderd hadden, gebiologeerd door de kleuren. De donkergroene cipressen stonden als obelisken tussen de lavendelvelden en werden afgewisseld door oude olijfgaarden. In de bermen bloeiden wilde cichorei en kamille. Het was druk op de weg, ze moest nu opletten voor de afslag naar de A52.

Pas toen ze op het strand lag, stond ze zichzelf weer toe aan de eerste ontmoeting te denken. 'Wat een vreselijke man,' zei ze hardop. Ze spuugde in het zand, het luchtte op. Scrooge, dat was het. Hij leek op de man uit Dickens' kerstverhaal. Precies zo had ze zich Scrooge voorgesteld. Een tengere man, met een krans van verwilderd haar. De inhalige, uitpersende, vasthoudende, hebzuchtige Scrooge, zij het met edeler trekken en zonder snerpende stem. Zijn stem was laag en bijna warm. Scrooge, het uitspreken van de naam was haast hetzelfde als spugen.

Het was gelukkig stil, zo vroeg nog in de ochtend. Verderop zat een moeder met een paar kleine kinderen. Een jongetje was druk in de weer met een schep, een kleiner meisje liep gedienstig met emmertjes water heen en weer. Een oeroud rollenpatroon, dacht ze vermaakt.

Het was niet vreemd geweest hem te zien. Hij had iets vanzelfsprekends, alsof ze altijd geweten had hoe hij was.

Ze probeerde zich hem voor te stellen in zijn vak. Het was onmogelijk te verbeelden hoe hij met vaardige handen operaties had uitgevoerd. Ze zag daarbij voortdurend zijn mismaakte handen. Ze herinnerde zich dat die groot leken in verhouding tot zijn tengere lichaam. Ze keek naar de hare, smal en klein voor haar lengte, de handen van haar moeder. Omdat ze met betrekking tot hem haar leven lang de woorden 'hard' en 'graniet' meedroeg, had ze zich een grote, zware man voorgesteld. Ze kende zijn type uit de tijd dat ze studeerde en een bijbaantje in een ziekenhuis had. Terwijl ze bloemen ververste en vensterbanken afnam, vertelden de vrouwen verontwaardigd hun bevindingen aan elkaar of, wanneer ze naast het bed bezig was, aan haar. 'Of ik een zoutzak was,' zei een vrouw, haar deken bezaaid met damesbladen. 'Die vent draaide zich na het onderzoek om en vertrok. Dat heet dan dokter.'

Omdraaien en weglopen... het bracht haar dicht bij een andere herinnering. Maar ze had twee nachten slecht geslapen, de moeheid speelde haar parten.

Ze werd wakker van kinderstemmen. De zon stond nu in het zenit en zorgde voor een schaduwloze zandvlakte. In de verte vloog een flamingo over het water. Hij dreef door de lucht als een onbewoond eiland op vleugels, de bolle buik afglijdend naar de lange oevers van gestrekte hals en poten. Het was druk nu. Ouders met kinderen sleepten koelboxen en opblaasbanden mee. Blote peuters droegen petjes tegen de zon. Op een hoge metalen trap overzag een diepgebruinde atleet van de Secours met een verrekijker de zwemmers. Een rubberboot met toebehoren lag op de vloedlijn te dobberen, klaar in geval van nood. Ze sloeg een shirt om haar schouders tegen de zon en keek naar een moeder die haar baby voedde. Een ouder meisje keek haar vanachter de moeder aan. Een prachtig tafereeltje voor een foto. Wat zou hij destijds met die foto van haar gedaan hebben die haar vader hem gestuurd had? Ze zag hem weer voor zich, hoe hij iets voorovergebogen, de mondhoeken diep naar beneden, over haar moeder had gesproken. Zijn enige dochter. Ineens schoot de herinnering haar te binnen. Omdraaien en weglopen.

Haar vader had voor haar gestaan. Met nauwelijks ingehouden woede vertelde hij hoe Seaubonnet de deur voor haar moeder had dichtgegooid toen ze naar hem toe was gegaan om te praten. Ze had een gebaar van verzoening willen maken. Vol goede bedoelingen het contact willen herstellen. Hij schreeuwde haast, toen hij het vertelde. Een mooi boeket had ze gekocht. Seaubonnet had het niet aangenomen. De bitterheid had haar vader bezet, hij spuwde de woorden uit. Seaubonnet had zich omgedraaid en de deur nadrukkelijk gesloten. Ze kreeg het verhaal te horen toen ze wilde weten waarom hij niet naar de begrafenis van haar oma ging. Dat Seaubonnet het niet kon opbrengen met zijn eigen dochter te praten, was voor hem de druppel geweest. De deur dichtgooien was hetzelfde als iemand een klap in het gezicht geven, zei hij.

Over het strand liep een zwarte man. Hij droeg een

grote zonnebril en een blauwgeruite blouse. Onder zijn arm hield hij een prikbord waaraan kettingen, armbanden en oorsieraden hingen. Over het bord hingen felgekleurde sjaals met bonte patronen, en zonnekleppen. Een te zware tas striemde een schouder. Bij elk badlaken stopte hij, keek vragend, las in ogen van niet geïnteresseerde badgasten dat praten geen zin had. Hij zeulde door het mulle zand. Ze keek hem na tot hij tussen de kleurige parasols oploste. Zo zou zij de komende weken door haar verleden modderen; de grootvader had haar meteen het gevoel gegeven door bagger te moeten waden. 'Scrooge,' zei ze nog eens. Ze stond op en liep naar de zee. Het water was koud, maar ze koelde er tenminste van af. Zou hij ooit van haar moeder gehouden hebben? Achteraf bezien was het bijzonder dat haar moeder zo van knuffelen hield. Ze herinnerde zich dat ze bij haar onder de dekens mocht liggen toen ze ziek was. Ze wist nog hoe haar moeder haar streelde terwijl ze voorlas, en haar dicht tegen zich aanhield.

Ze zwom met venijnige slagen. Het was moeilijk om los te komen van haar grootvader. Het was een wonder dat hij geen Alzheimer had, dat hij niet als een suffige bejaarde voor zich uit staarde. Dan had ze haar verhaal kunnen afsteken en was ze al of niet met een handvol ophelderingen weer vertrokken. Nu was ze meteen in een gevecht gewikkeld. Deze man was springlevend, ofschoon ze hem moest ontzien. Zijn hoge leeftijd had ze te respecteren.

Ze zwom tot haar armen van rubber leken. Daarna kleedde ze zich aan. Pas toen ze bij het hotel parkeerde, zag ze dat de verwarming al die tijd in de hoogste stand had gestaan.

Ze sliep tot de telefoon haar wekte. Slaapdronken graaide ze hem van het nachtkastje. Ver weg klonk haar vaders stem.

Het ging prima met hem. Claire en hij hadden hun huis zo goed als ingericht, het werk beviel uitstekend. Ze moest komen zodra haar werk het toeliet, in het najaar bijvoorbeeld. Het kon schitterend weer zijn tijdens de eerste weken van oktober, de Indian summer, dan waren de kleuren van de loofbossen fascinerend en was het herfstlicht prachtig, transparant bijna.

'Ik ben in Aix-en-Provence,' onderbrak ze zijn verhaal. Ondanks de slechte verbinding merkte ze aan de stilte die volgde dat hij het onmiddellijk begreep.

'Toen jij weg was ontstond er een vacuüm en leek hij ineens het enige overgebleven familielid. Na het bekijken van de albums wilde ik weten wie hij is,' zei ze behoedzaam. Ze had niet de behoefte hem te kwetsen, ze vroeg op haar beurt begrip voor haar eigen keuze.

'En?'

'Hard als graniet.'

Hij schoot even in de lach. 'Je kwelt jezelf,' zei hij toen.

'Ja. Maar ik wil mezelf later niet verwijten dat ik niet geprobeerd heb hem te leren kennen. Hoe is het met Claire?'

Met Claire was het goed. Hij zei het met tegenzin. Ze voelde dat deze wending in het gesprek hem moeite kostte, dat hij haar mededeling moest verwerken en er op door wilde gaan.

'Pap, het is mijn beslissing. Het is een eenzame, reumatische man met een oude huishoudster die hem verzorgt.'

'Dini?'

'Ja. Die ken jij natuurlijk. Je snapt niet dat iemand hem zo toegewijd kan zijn. Ik ben er één keer geweest en ik ben blij dat ik nu weet wat je bedoelt.' Het was goed zo met hem te praten, ze voelde zich onmetelijk opgelucht dat hij wist waar ze was. 'Hij begon met te zeggen dat hij geen behoefte had aan bezoek. Hij zei zich geen kleinkind te kunnen herinneren. Nota bene! Ik zei dat hij een foto van mij moest hebben die jij hem lang geleden had gestuurd.' Ze aarzelde even, nu wist hij dat ze die brief gelezen had. 'Je maakte een aantekening van die foto op een kopie van een brief die je geschreven had, herinner je je dat nog?'

'Hoe zou ik dat nu kunnen vergeten?'

Even was daar de oude, vertrouwelijke toon tussen hen tweeën, en ze verwenste de oceaan die onverbiddelijk tussen hen in lag. 'Die brief zat in één van de albums. Ik ben er blij mee pap, nu heb ik houvast. Hij beefde toen ik hem vertelde wie ik was.'

De verbinding werd slechter. Het was nu net of ze een schelp tegen haar oor hield en de oceaan tot leven kwam. 'Ja, ik zal schrijven en goed voor mezelf zorgen. Ook genieten, ja. Beloofd. Groet Claire.'

Haar vader zou het moeilijk vinden dat zij hier was, dat ze de man had bezocht die eerst zijn eigen dochter en toen zijn schoonzoon genegeerd had, maar hij zou begrijpen dat het om haarzelf ging.

Ze staarde naar het plafond. Gebarsten rozenblaadjes garneerden de voet van de lamp. Kleine stukjes gips waren van de bladpunten gebrokkeld, weggeveegd, opgezogen.

Ze wilde antwoord op vragen, maar diep in haar was het verlangen naar meer. Naar iemand van wie ze kon houden omdat hij de vader van haar moeder was.

# 5

Onder de schaduw van de platanen, waarvan de stammen deden denken aan camouflagepakken van militairen, liep ze langs hotels en oude herenhuizen de straat uit. Naast gebeitelde deuren met koperen kloppers, veelal in de vorm van sierlijk gebogen vissen, hingen glimmende naamborden die duidelijk maakten dat het hier om kantoren ging. Kantoren of hotels, het was om het even. De huizen weerspiegelden veel meer de glorie van rijke families die de enorme panden hier in de zeventiende en achttiende eeuw lieten optrekken en daar seizoenen verbleven met binnen- en buitenpersoneel, de kameniers en de koks. Je kon je in deze brede laan met fonteinen die scholen onder de tunnel van platanen, gemakkelijk voorstellen hoe de karossen ooit voorreden en de hoeven van de paarden op de stenen klepperden. Hoe huwbare dochters, in zijde gekleed, pikante schoentjes en smalle enkels onthulden tijdens het instappen. Hoe zoons in getailleerde lange jassen en stugge leren laarzen een voet in de stijgbeugel plaatsten en soepel een been over een paardenrug zwaaiden, de zweep klaar om te knallen.

De zon was weg, maar het laatste licht streek nog stilletjes over de kruinen van de kastanjebomen. Vanaf terrassen vermengden flarden muziek zich met stemmen en, toen ze verder liep, met het geklater van de grote fontein aan het eind van de Cours Mirabeau. Geuren van knoflook en gegrild vlees waaierden uit open deuren. Besluiteloos stond ze even te kijken naar een herdershond die via twee stenen leeuwen op de rand van de fontein sprong en in het water verkoeling zocht, zijn neus in een van de stralen. Toen hij zijn kop ophief, kwijlde hij van genoegen.

Je kon best alleen genieten zolang je maar niet op vakantie was, dacht ze. Thuis had ze er geen moeite mee, maar hier sloeg de eenzaamheid toe als ze even uit het oog verloor dat ze hier kwam met een doel. Tegelijk was Aix te veroverend om zonder vreugdevolle herinneringen te verlaten. Als ze genoot, zou het haar helpen de onvermijdelijke leegte te vullen.

Ze liep naar een terras met uitzicht op de fraaie fontein. 'Restaurant La Rotonde' was in zwierig schrift op de gevel geverfd. Origineel was anders, maar stevige houten stoelen met gestreepte katoenen kussens onder witte parasols maakten dat goed. Ze nestelde zich behaaglijk in de kussens. Je hebt vakantie, zei ze tegen zichzelf.

'Madame?' Een ober in gestreken zwart neeg het hoofd. Dat was er een die het vak verstond. Ze bestelde witte wijn en liet zich balorig een halve fles Cassis aanbevelen. De man verzekerde met een wijds gebaar dat deze wijn uit de gelijknamige kustplaats kwam. Het neusje van de zalm, ideaal voor een warme zomeravond.

Ze dacht aan het strand, aan de zwarte man die vermoeid door het zand ploeterde. Wijngaarden was ze nog niet tegengekomen, of misschien had ze er niet op gelet. De ober hield, om zijn woorden kracht bij te zetten, de vingers als een toefje tegen de lippen, de ogen dicht. Zoiets zag ze een kelner in Leiden nog niet doen. Hij bracht de fles in een emmer met ijs, het servet over de arm. Met egards overhandigde hij haar de menukaart. Onmiddellijk voelde zij zich chic, *tout à fait féminin*. Alleen haar Frans klonk hier te afgemeten, het miste elan. Terwijl ze zich toch moest realiseren dat ze in het zuiden zat, waar de oude adel de winters doorbracht, waar de elite – of heette dat hier tegenwoordig anders – naartoe zwermde als betrof het een oude geliefde. Ze zou met zwier en allure om Penne Légumes met een Salade Poulet de Provence verzoeken en de indruk wekken of het dineren met jezelf tot een van haar meest ultieme vakantiegenoegens behoorde.

Naarmate het terras zich vulde met mannen en vrouwen die elkaar in de ogen keken, begon de wijn een gloed van weemoed te werpen over de Penne Légumes. De maaltijd voorkwam dat ze niet al te duizelig werd, slechts licht in haar hoofd. Licht genoeg om de naam Seaubonnet even op afstand te houden.

Ze kwam in het hotel terug rond middernacht, met volle maan. Hôtel de Paris: wat namen betreft waren de Fransen niet origineel. Duitsers trouwens ook niet. Zum Löwen, zum Bären, zum Hirschen, zei ze bij elke trede die ze beklom, want ze meed de gammele lift met de houten deur in de schacht die de glans van het trappenhuis doofde. 'Boschzicht, Heideheuvel, Dennenlust, Spoorzicht.' Hier was haar kamer.

Ze keek omhoog naar de trap die verder voerde. Genieten moest ze, een uitzicht over Aix na deze avond, vooruit. Ze klom verder, de sleutel in haar ene hand, met haar andere hield ze de trapleuning vast. Wat had je zoal in de Engelse countryside? The Old Mill, The Old Oak Tree. Ook afgezaagd, al klopten de namen wel. In Nederland zag je vanuit het raam van Heideheuvel meestal een nieuwe woonwijk verrijzen.

Ze was nu op de vijfde verdieping, waar geen enkel venster was dat uitzicht bood. Geen uitzicht over Aix-en-Provence-dans-la-nuit-au-clair-de-la-lune, slechts een deur. Ze duwde en kwam in een vertrek waar het licht spontaan aanfloepte. Er stonden waszakken en op planken lagen stapels handdoeken, lakens en slopen in grote voorraden opgestapeld. Keurig in het gelid, je kon er een meetlat naast houden, een mooi magazijn, maar er waren geen ramen. Helaas, ze was al te sentimenteel geweest na de Appellation Cassis Contrôlée. Ze wilde teruggaan toen ze om de hoek, aan het eind van een smalle gang – wat boden oude villa's toch leuke verrassingen – nog een deur ontdekte. Die naar het dak. Ze stapte over de waszakken heen, struikelde en lachte toen de deur meegaf. Nu moest ze niet ontdekt worden, dan had ze heel wat uit te leggen.

Behoedzaam liep ze over het dak, de nachtlucht diep inademend, langs schoorstenen die als vreemde vegetatie uit het zink oprezen. Het dak was ommuurd, ze kon zonder angsten duizelig de diepte inkijken en het uitzicht in zich opnemen. Haar ogen gleden gretig over de verlichte stad, over de pannendaken, de smalle straatjes die er van bovenaf uitzagen of een kind ze kriskras met een potlood door het centrum had getrokken en waaruit geluiden als ballonnen opstegen. Ze hoorde een saxofoon, een sirene in de verte. Het maanlicht lag als dauw op de Eglise du Saint Esprit, op torens van de Cathédrale Saint Sauveur, op het Hôtel de Ville voor haar. Ze zag de Grote Beer en de zwakke lichtjes van het Zevengesternte die de vorm hadden van een druiventros en haar aan de wijn herinnerden. Vasthouden wilde ze dit, hier blijven.

Ze voelde iets langs haar benen strijken, als zeewier onder water. Net op tijd onderdrukte ze een gil toen ze zag dat het een kat was. Hij drukte zich tegen haar kuiten en gaf met een hoge rug aanhalig kopjes alsof zij het eerste menselijke wezen was dat hij sinds maanden had gezien. Ze tilde hem op. Hij was klein en zwart als de nacht. 'Heb je eigenlijk wel eens over de muren van je bekrompen wereld heengekeken? Of heb je net als ik je handen vol aan je familie?' vroeg ze zacht. De kat spinde.

Ze giechelde. Zij, *madame la comtesse*, stond op het dak van haar villa. Aix lag aan haar voeten. 'En, *grandpère*,' ze hief de kat of het haar wijnglas was, 'zonder dat u het weet ligt u daar nu ook.'

Vier dagen later belde ze op. Ze had veel gewandeld en Aix uitgebreid verkend. Uren had ze door smalle straten gelopen, over kleine markten gedwaald waar vrouwen met felle, donkere ogen dadels, gele meloenen of room-witte strengen knoflook aanprezen. In de stegen was ze onder handbeschilderde uithangborden doorgelopen, langs etalages met kleding en kunst. Ze had over pleinen gedwaald met prachtige namen. Place Bellegarde, Place des Martyrs de la Résistance. Ze klonken als kleine ge-dichten. Fransen hielden op deze manier hun eigen ge-schiedenis levend, dacht ze. Ze kon zich thuis geen Plein van de martelaren van het verzet voorstellen.

Af en toe ging ze naar het hotel om wat te lezen en uit te rusten. Het was lang geleden dat ze tijd had gehad voor een boek. Ze kon zich niet goed concentreren en hield op toen ze merkte dat de naam Seaubonnet rit-misch op de zinnen meedeinde. Toen ze op een middag de straat achter het hotel uitliep en onder oude lindebo-men door in een park belandde, zag ze de faculteit rechtsgeleerdheid en politicologie. Hier moest de man van het terras zijn gastcolleges geven. Alleen zijn ogen kon ze zich nog voor de geest halen. De donkere wenk-brauwen, zijn geïnteresseerde blik.

Ze liep genietend verder. Als ze voor een land zou moeten kiezen, zou ze hier wel willen wonen. Niet in een groot, wijd land als Canada, waar de winters hele stukken van de herfst en het voorjaar opaten.

Het ging goed met hem, zei Dini. Nee, haar bezoek had hem niet te veel vermoeid, hij leek integendeel levendig. Het klonk geamuseerd. 'Hij laat me voortdurend heen-en-weer draven. Het lijkt of hij meer trek in eten heeft.'

'Denk je dat ik een dezer dagen welkom ben?'

'Hebt u een moment?'

Het duurde minder lang dan de vorige keer. 'Vanmiddag schikt het hem wel,' zei Dini.

'Maar mij niet erg,' zei ze. Ze herstelde zich meteen. 'Ben je er nog? Sorry, ik ben niet redelijk. Ik kan wat ik vanmiddag van plan was, ook morgen doen. Zeg maar dat ik er om drie uur hoop te zijn.' Ziezo, ze had dan tenminste zelf het tijdstip bepaald.

# 6

Hij zat met een plaid over zijn knieën op de veranda. De stok met de ivoren leeuwenkop klemde over de leuning van de stoel en leek op een drenkeling die zich ternauwernood boven water wist te houden.

Ze zwegen tot Dini de thee had gebracht. Ze had Seaubonnet de thee in handen gegeven, in een hoge beker met een halve inhoud. Inge pakte haar kopje van het dienblad. Vanuit de tuin kwam het aroma van kamille en kruizemunt haar kant op.

'Het is geen onaardig tijdstip,' zei hij.

'Wat bedoelt u?'

'Een grootvader bezoeken op een moment dat de kans op – laten we zeggen zijn verscheiden – niet al te ver weg ligt.'

Ze had in het zand gespuugd, ze moest zien te voorkomen dat het nog eens in zijn gezicht terechtkwam. Dat dacht hij dus, dat ze zijn geld op het oog had. Onvergeeflijk dat ze daar niet aan gedacht had. Hij moest vermogend zijn; specialisten hadden een bovengemiddeld inkomen. Het had gekund, natuurlijk. Hoe had ze zo onnozel kunnen zijn om te verwachten dat hij haar slechts goede bedoelingen zou toedichten? Of waren haar bedoelingen niet zo zuiver als ze zichzelf graag wilde voorhouden? Ze had hem de reden van haar komst verteld, hij had die anders opgevat.

'Mijn ouders hebben mij in financieel opzicht alles kunnen geven wat ik nodig had,' begon ze formeel. Ze moest haar zinnen zorgvuldig samenstellen. 'Daarbij heb ik van hen geleerd dat geluk…' Ze brak af. 'De dood van mama…' Ze beet op haar lip. 'Ik vroeg om herinneringen, niet om geld,' zei ze schor. Ze zat te hijgen of ze hard gelopen had.

Een citroenvlinder danste als een dwaallicht over het verwilderde gazon, vervaagde ineens. Ze had zich door emoties en nieuwsgierigheid laten leiden toen ze besloot hem op te zoeken. Ze vroeg zich af waarom ze geen moment op het idee was gekomen om te bedenken wat het onverwacht verschijnen van een kleinkind voor hem zou betekenen. Hij had niet voor niets korte metten gemaakt met zijn verwantschappen. Hij deed zich voor als een pragmaticus, een man die de feiten zakelijk beoordeelde. Vermoedelijk schaarde hij zijn familie onder de zakelijke aangelegenheden.

Maar niets dwong haar hier te blijven. Ze kon opstappen, haar koffers pakken en terugrijden.

Ze keek opzij. Zoals hij daar voorovergebogen zat, de geruite deken van zijn knieën naar beneden hangend tot op de rand van zijn pantoffels, de beker tussen zijn kromgegroeide handen, zag hij eruit als een patiënt. Een broze man, met een lichaam dat emoties verraadde.

Merkwaardig hoe snel je dat uiterlijk vergat en achter die deerniswekkende buitenkant op de kracht van een tiran stuitte.

Ze concentreerde zich op een rozenblaadje dat door de tuin dwarrelde. Het viel in het grind, waaide weer op, tolde verder. Hoelang hadden ze hier gezeten? Een kwartier, een jaar, een leven?

De stilte werd benauwend, ze moest het gesprek hoe dan ook weer in gang zien te zetten.

'Hield u van Désirée?' De vraag viel als een vroegrijpe appel uit de boom. Seaubonnet trok de plaid van zijn knieën alsof hij eerst nu de drukkende warmte onder het afdak van de veranda voelde. De deken gleed tussen de leuning door op de grond. Zijn handen hield hij om de leuningen geklemd.

Dini kuchte bescheiden en kwam de veranda op met verse thee. Ze schonk ongevraagd de kopjes vol en zette een schaal met koekjes neer. 'U moet goed eten,' zei ze tegen Inge. 'U bent veel te mager.' Dini raapte de plaid op. Ze vouwde hem netjes in vieren.

De vlinder, nu boven de lavendel, vervaagde opnieuw. Inge keek naar de koekjes die ze met geen mogelijkheid door haar keel kon krijgen nu. Ze zou er een paar in haar tas laten glijden, geruisloos, alsof ze er niet genoeg van had kunnen krijgen. Vermoedelijk had Dini speciaal voor haar het deeg gekneed, de enorme oven aangemaakt. Ze hoorde de deur achter hen zacht dichtgaan. Dini's voetstappen over de gladgeboende houten vloer, de gang door, de trap af.

'Je hebt zeker medelijden met haar?' vroeg hij.

Het was eng hoe hij haar gedachten raadde. 'Er zijn betere arbeidsomstandigheden denkbaar,' zei ze.

Hij begon zorgvuldig zijn thee te drinken.

'Ze was de beste van de klas.'

Ze waren terug bij haar moeder.

'Wat bedoelt u daarmee?'

Hij liet de beker op zijn knieën staan, zijn handen eromheen. 'Dat ze haar kansen niet benut heeft.'

Désirée was jong getrouwd en vroeg moeder geworden. Vond hij dat ze carrière had moeten maken? Was haar huwelijk in zijn ogen verwerpelijk? Ze had zich daarna alsnog kunnen ontwikkelen, maar daarvoor de kans niet gekregen, omdat God het nodig had geacht in te grijpen. Misschien was zijn woede onbewust op Hem gericht, al wees niets erop dat hij geloofde, laat staan houvast vond in het geloof. Hij was niet rooms-katholiek opgevoed, wist ze, al zou het haar niet verbazen als Dini in opdracht van hem regelmatig een kaars ontstak in een van de kathedralen of kerken. Dat was het soort spiritualiteit dat bij hem leek te passen, zoals een tegengewicht bij een van zijn klokken.

'Ik verzorg hem ook,' had Dini bij het eerste bezoek gezegd. Dini, ze moest haar een keer voor zich alleen hebben. Ze wilde haar visie over hem vragen. Dini kende hem beter dan wie ook, misschien zelfs wel beter dan zijn eigen vrouw destijds. Zonder Dini moest het leven voor hem onverdraaglijk zijn.

'Het moet voor u moeilijk geweest zijn haar zo jong te verliezen,' begon ze begripvol, tot het weer doordrong dat hij haar allang verloren had voor die tijd. Hij had niet eens de moeite genomen om bij de begrafenis van zijn dochter aanwezig te zijn. Ook had hij het toen niet op kunnen brengen, al was het maar uit beleefdheid, haar vader een brief te sturen. Wat dacht hij nu? Dat ze probeerde zijn gunst te winnen en toch uit was op zijn geld? Als een gasbel uit een moeras steeg een onplezierig gevoel omhoog. Ze moest uit dit gesprek ontsnappen. De thee dampte nog, weggaan was niet mogelijk nu. Ze nam snelle, kleine slokjes.

'Wat een heerlijke tuin,' zei ze in het wilde weg. Haar gedachten fladderden nu als gekooide vogels tegen de tralies op. Ze moest hier zo snel mogelijk weg en het een volgende keer proberen.

'Volkomen verwaarloosd,' zei hij. 'In het begin kon ik het nog wel bijhouden. Ik had zelfs plannen voor een kleine wijngaard. Elk jaar een paar flessen chardonnay. Houd je van wijn?'

Ze ontspande. De tuin, de wijn, wat maakte het uit, als het maar niet over haar moeder ging. 'Ik kom niet verder dan bronwater op werkdagen en een rode wijn bij een etentje,' zei ze.

Hij was zichtbaar teleurgesteld. Bijna boos zelfs, als vond zijn irritatie nu een andere uitweg. 'Wijn is een levende drank, een mysterie. Het heeft geschiedenis, kleur, temperament, een goede wijn overleeft moeiteloos een generatie.'

Begreep hij niet hoe pijnlijk dat klonk? Moeiteloos was wijn sterker gebleken dan haar moeder. 'Overigens,' onderbrak ze snel deze gedachtegang, 'heb ik deze week een heerlijke Appellation Cassis Contrôlée geproefd.

Een ronde, fruitige wijn, verfijnd en verfrissend op een warme zomeravond,' citeerde ze de ober. Verraderlijk ook, maar dat liet ze achterwege. Ze had zijn interesse gewekt. Zeker, beaamde hij, de Cassis was heel aardig, een mooie witte wijn uit de streek, hij zou hem alleen anders omschrijven.

De wijn, de bronnen noch het klimaat hadden kunnen voorkomen dat de reuma zijn krachten had ondermijnd en alle soepelheid uit zijn gewrichten had gewrongen, dacht ze, toen hij meteen doorging op de finale van de smaak, de honing, de vanille, de citrusgeuren die vrijkwamen als je een chardonnay op de juiste temperatuur uit het goede glas dronk. Hij zette zijn betoog met gebaren kracht bij, niet vermoedend hoe de mismaakte handen in schrijnende tegenspraak waren met wat hij zei.

'Een tuinman hebben we ook gehad. Zo eentje die op de hark stond te leunen en naar vogels keek. Daar betaalde ik hem niet voor, dat doet hij dan nu maar in zijn vrije tijd.'

'U hebt hem ontslagen.'

'Natuurlijk. Hier in het zuiden vind je meer van die types.'

'Het lijkt me heerlijk om te tuinieren,' zei ze, terwijl ze haar ergernis probeerde te onderdrukken. In haar bovenhuis viel weinig te snoeien. Ze snakte ineens naar een huis waar de bloemengeuren naar binnen dreven, naar vogelgezang, naar bladeren die bewogen.

'Hier groeide alles wat het in Nederland niet deed,' zei hij. 'De keerzijde van dit klimaat is dat het onkruid ook woekert. Mijn vrouw hield van tuinieren.'

Over haar grootmoeder wist ze vrijwel niets. Haar vader had haar omschreven als iemand die genoot van een in zijn ogen tamelijk leeg leven. Een zacht en onderdanig karakter. Foto's van haar grootmoeder lieten weinig achter op je netvlies. Naderhand vroeg je je opnieuw af hoe ze er ook alweer uitzag. Ze hield van tuinieren, bleek nu. Hij had de tuin hier ter wille van haar mooi gemaakt. Hij had rozen geplant, borders aangelegd. Klaprozen en kruiden gezaaid, die om zich heen grepen en de tuin nu iets lichtvoetigs gaven, speels als een kind dat in de wind over het strand rent, met de zomer op de hielen.

's Nachts droomde ze dat ze op een bijeenkomst was waar veel mensen waren. Iedereen liep door elkaar heen, het was een gegons van stemmen om haar heen. Seaubonnet was er ook. Zelfs in haar dromen kwam ze er niet toe hem grootvader te noemen. Ze wrong zich in de drukte tussen de mensen door alsof haar leven ervan afhing. Ze moest weten waarom hij haar moeder verstoten had, het was van levensbelang. Mensen werden boos, ze stootte glazen wijn om. 'Een chardonnay!' riep iemand verontwaardigd, alsof het om goud ging. Ver voor zich uit zag ze de kromgebogen gestalte verdwijnen. Ze kon hem niet inhalen.

# 7

Ze liep door het centrum van Aix in noordwestelijke richting. De hitte zinderde tussen de hoge muren van de huizen. Op de stoepen lag duivenpoep. Daartussen lagen veren. Kleine witte donsveertjes, die bij elk vleugje wind verder voor je voeten uitwaaiden. Grote veren met ronde toppen, die wit begonnen, een grijs middenvlak hadden en zwart eindigden, lagen stil op de straten en de pleinen, op de stoepen en in de portieken. Duiven baadden zich in de fonteinen en liepen op terrassen tussen de tafels door. Men schoot ze op gezette tijden af om overlast te voorkomen, had ze een kelner horen zeggen tegen een klant die over de vogels klaagde. Uit kelderramen boven de stoepen steeg een muffe, vochtige geur omhoog.

Ze had een afspraak gemaakt bij de Thermus Sextius bronnen. Omdat Seaubonnet er kwam, zij het veel minder dan vroeger had Dini verteld, had ze zich onwillekeurig een voorstelling gemaakt van een ouderwets kuuroord waar ouderen met wandelstokken door de tuinen drentelden. Folders van de bronnen lieten tot haar verbazing stralende jonge mensen zien die beweerden dat het mineraalwater garant stond voor nieuwe energie. Ze had bijna afgebeld toen ze onderaan de folder las dat zelfs het uitzicht op een achttiende-eeuws paleis en het door de glas-in-loodramen gefilterde licht meewerkten aan het heilzame effect op lichaam en geest. Zou Seaubonnet die onzin gelezen hebben?

Het gebouw moest ergens in de vorige eeuw zijn opgetrokken. Geschilderd in beschaafd geel zag het er chic en modern uit. Nergens was een naam of een bord te bekennen. Een man verwijderde met veger en blik een miezerig hoopje vuil. Ze duwde een hoog smeedijzeren hek open met in bladgoud geschilderde letters op de rand die bevestigden dat de bronnen hier waren. De tuinen en de bejaarden waren vooralsnog in geen velden of wegen te zien. Voor haar uit liepen twee betrekkelijk jonge vrouwen de trap op naar binnen. De mogelijkheid een rolstoel naar boven te duwen, wees op minder valide bezoekers.

Ze liep langs een ruimte waar achter glas de Romeinse restanten gekoesterd werden, volgens een perspex paneel door Caius Sextius in 122 voor Christus gebouwd. Uit een van de muren groeide een kleine, groene varen. Een zaadje uit de oudheid.

Marmeren vloeren, pilaren, groene tegels en veel glas moesten de gasten het gevoel geven in de Romeinse tijd rond te dwalen. Een in smetteloos tuniek gehulde dame leidde haar op sandalen van de balie naar de bronnen.

Ze liep met een naar lavendel geurende badjas de kleedkamer in. Het enige wat aan jou ontbreekt, zei ze in gedachten tegen de vrouw die haar de jas aanreikte, is een neus als Cleopatra.

Had ze, toen ze hier naartoe ging, gedacht dat ze in deze weelde iets van zijn wezen zou vinden? Dat dit bezoek haar dichter in de buurt van Seaubonnet zou brengen? Alsof hij hier iets van zichzelf had achtergelaten en zij het spoor maar hoefde te volgen? Er zwommen wat mensen, maar ze zagen eruit alsof ze bedacht hadden dat ze net zo goed hier konden baden als in een chloorbad. Ze miste iets. Behoeftige, broze mensen, die in het water geholpen moesten worden tot ze gewichtloos werden en je de pijn van hun gezichten zag wegtrekken. Het zou begrip voor hem oproepen, een gevoelige snaar raken, waardoor hun pijn die van haar grootvader werd. Hij zou menselijk worden en zij zou verzachten, een aarzelende stap kunnen zetten in de richting van zijn innerlijk. Nu rees een gevoel van weerzin tegen deze luxe, de overdreven decors die het bronwater in een verdacht licht stelden. Ze wilde niet nog meer afkeer van hem, ze verlangde naar toenadering.

'U ligt erbij als een vioolsnaar,' merkte de therapeute fijntjes op.

'Ik weet het,' zei ze. Het had weinig zin uitleg te geven of iets ter verdediging aan te voeren. Ze zou zelfs tegen haar zin een nieuwe afspraak maken, de uitdaging aangaan tot ze slap als een vaatdoek op de behandeltafel lag.

Hier lag hij dus ook. Voor hem waren de rollen eveneens omgedraaid. Een leven lang hadden zijn handen de vrouwen aangeraakt, nu liet hij zijn krachteloze lichaam door hen behandelen, alsof het een genoegdoening betrof, iets waarop hij recht had. Ze moest haar gedachten stopzetten. Ophouden zich een voorstelling te maken van hoe hij hier zou liggen, hoe men de oude huid als perkament behandelde. Ze griezelde bij het idee die aan te moeten raken.

'Ik verwen mezelf, ik ga zelfs naar de bronnen voor massages,' kon ze tegen haar vader zeggen.

'Nu kijk je alweer boos.' Ze was onderweg naar het hotel, haar gedachten nog bij de bronnen. Hij stond voor haar, zijn armen over elkaar, afwachtend.

Ze was weer in het heden, op een gezellig marktplein, met geroezemoes om zich heen. Tegen de muur van een restaurant stond een lege wijnfles. Het was zomer, ze had vakantie.

Ze lachte. 'Maar deze keer heb ik tijd en zin,' zei ze.

Hij gaf haar een hand. 'Tim Becker, nemen we een terras?'

'Vind je het goed als ik me even opknap? Het hotel is hier achter het pleintje.'

Ze rende met twee treden tegelijk de trappen van het hotel op. De tas met het badlaken smeet ze op bed. Ze trok zingend de deur van de badkamer open. Tim Becker. *En attendant ses bras je peins des fleurs aux portes.*

Ze lag op bed, haar kleren nog aan, en liet de avond passeren. Hij had haar teruggebracht en zijn telefoonnummer op de rug van haar hand geschreven. Ze wreef er voorzichtig met haar vinger over. Ze zou hem kunnen

53

bellen voor het geval haar ontmoetingen met Seaubonnet nog eens uit de hand liepen. Ze had hem verteld waarom ze hier was. Geprobeerd uit te leggen wie Seaubonnet was. Het was ineens belangrijk dat deze man haar begreep.

Zelfs nu, in de beslotenheid van de hotelkamer, ging ze door met uitleggen. Ze praatte zacht voor zich uit. 'Alsof hij zijn broosheid als wapen gebruikt om zijn binnenkant niet prijs te hoeven geven. Alsof hij zich nieuwe energie verschaft door mij aan te vallen, terwijl hijzelf buiten schot blijft. Natuurlijk voelt hij haarfijn aan dat ik wel weet hoe kwetsbaar hij is. Ik kan hem geen risico's laten lopen door hem tot het uiterste te tergen. Dat zou hartklachten kunnen veroorzaken op zijn leeftijd. Maar liever wilde ik dat het anders was geweest, dat hij een oude krachtpatser was met een zachte binnenkant.'

Hij had haar na het terras naar een restaurant gebracht met vides die gevormd werden door de balustrades van open trappen. Ze hadden een tafel op de derde verdieping. Om hen heen was het stil. Vanaf de benedenverdieping klaterde af en toe gelach omhoog en hoorden ze glazen klinken. 'Santé! Salut!' Daar bovenuit riep iemand 'Raymond et Madeleine!'

Toen ze verteld had dat haar moeder niet meer leefde, haar vader hertrouwd was en in het buitenland woonde, stopte ze abrupt. Het klonk te sentimenteel, teveel als een uit het hoofd geleerd verhaal van een bedelaar op een centraal plein in een van de metropolen. 'Voorlopig is de band met hem dusdanig, dat ik het woord grootvader nauwelijks over mijn lippen kan krijgen,' eindigde ze tam.

Hij had geluisterd. Als hij maar niet gemerkt had dat ze tot haar eigen ergernis moeite moest doen haar emoties onder controle te houden. Normaal zou ze dit soort gesprekken met haar vader gevoerd hebben. Ze wist welke argumenten hij zou aanvoeren om Seaubonnet te negeren. Hij zou vóór haar gestaan hebben, zijn handen om haar bovenarmen, warm en sterk. Haar vader had niet weg moeten gaan. Hij had met Claire in Nederland kunnen blijven, dan had ze hem in de buurt gehad.

'Toch raak je hem,' zei hij.

'Waarom denk je dat?'

'Als je hem onverschillig was, zou het er niet zo heftig aan toe gaan.'

In gedachten zag ze het vliegtuig weer opstijgen, nadat ze haar vader had uitgezwaaid.

'Ik heb het zo koud,' zei ze. 'Laten we gaan.'

# 8

'Verkouden?'

'Een beetje.'

'Te weinig kleren gedragen vermoedelijk.'

Nog even en ik ben zijn patiënt, dacht ze.

Het was laat op de middag. Vanuit het raam zag ze hoe de oude amandelboom achterin de tuin lange schaduwen over het grind wierp.

'Haal een Château Simone uit de kelder,' zei Seaubonnet kortaf tegen Dini. Natuurlijk, het irriteerde hem, hij wist zich geen raad meer met ziekte omdat de neiging meteen te handelen nog springlevend was.

'Ik ben er in ieder geval,' zei ze scherp.

Dini stond afwachtend naast de stoel. Ze hield haar handen berustend voor haar gebloemde schort gevouwen.

'Zo één die u laatst met Gigou dronk?'

'Dezelfde.'

'Blijft mevrouw eten?' Inge meende een lach in haar ogen te zien.

'Lijkt je dat wat?' Het klonk allesbehalve uitnodigend. Hij draaide zijn hoofd haar richting uit, de mondhoeken strak naar beneden. De verkoudheid bezorgde haar hoofdpijn en rillingen.

'Nee, dank u wel,' zei ze.

'Heb je zin in een glas wijn?'

Kennelijk schiep hij zoveel genoegen in haar afwerende houding dat hij ervan in feeststemming kwam. Welja, de wijn zou haar opfleuren, warmte geven. 'Heb je er misschien iets bij, droog brood?' vroeg ze toen Dini terugkwam met een stoffige fles die ze snel en handig ontkurkte. Geamuseerd zag Inge hoe ze aan de kurk rook voor ze de glazen inschonk en hem het glas in zijn uitgestoken hand schoof. Hij zag tot haar verbazing kans met beide handen de steel vast te houden en de wijn rond te draaien. Dit was een ritueel, begreep ze.

Ze pakte de fles. Grand Cru de Provence. Op het etiket stond een wit kasteel, met spitse torens. Net als voor zijn huis, stonden er cipressen naast de voordeur. De trap naar de voordeur splitste zich in tweeën en draaide halverwege nog een keer terug naar een bordes beneden.

'En?' vroeg hij terwijl hij het glas naar zijn neus bracht en rook.

'Deze kunt u drinken, meneer,' zei Dini.

'Dat dacht ik ook.' Hij nam een voorzichtige slok, zoog wat lucht naar binnen en liet de wijn tot in de uithoeken van zijn mond weglopen. 'Gedroogde kruiden uit de Provence,' zei hij. Hij rook weer, de ogen dicht, een ontroerende vanzelfsprekendheid uit de tijd dat hij zien kon. 'Een breed uitwaaierende geur van garrigue, honing en rijp, geel fruit.' Hij wendde zich tot haar. 'Het is aan jou niet besteed natuurlijk. Gelukkig beleef ik er zelf genoegen aan. Het was namelijk mijn grootvader die deze wijn al maakte. Een wijnboer van de klassieke soort. Als de druiven rijpten, ging hij voor dag en dauw het land op om te kijken of het weer een sorteergang toeliet. Hij plukte geen trossen tegelijk, maar de rijpe druiven apart terwijl een oude herfstzon de bladeren liet gloeien. Ach ja, dat kon nog in de tijd van paard en wagen. Nu wil men wereldwijnen die jong zijn, meteen op dronk. Als je ze drie jaar laat liggen zijn ze over hun top.'

Zou de wijnboer eenzelfde koppigheid hebben gehad? Bij mensen die van de natuur afhankelijk waren, stelde ze zich zachte karakters voor. Ze keken dagelijks naar de hemel, berustten in de wetenschap het tij, indien tegen hen, niet te kunnen keren.

'Hier liggen mijn wortels.' Hij hield het glas van zich af, haar kant uit. 'In een goed glas krijgt het boeket alle kansen om te bloeien. Het moet mooi, groot en aan de rand naar binnengebogen zijn.' Hij nam secuur een slok. 'Niet te houtig. Een kwieke wijn, een kwart eeuw oud. Gebotteld op een kasteel ten zuidoosten van Aix, toen jij nog op de lagere school zat. Een toonaangevende Appellation. Maar we moeten hem niet te lang laten liggen,' zei hij tegen Dini. 'Hoeveel flessen zijn er nog?'

'Twee van deze, meneer.'

'Nodig Gigou volgende week uit. Dan krijgen we ze leeg. Het zou zonde zijn ze weg te moeten gooien.' Hij dronk opnieuw en hield zijn hoofd iets achterover, de ogen dicht. 'Geen spoor van vermoeidheid,' zei hij. 'De wijn,' verduidelijkte hij.

'Hoe zie je er eigenlijk uit?' vroeg hij plotseling, het

glas weer ronddraaiend, alsof het antwoord er eigenlijk niet toe deed.

'Te mager, volgens Dini. Blond haar. Vroeger vond u dat het op vlas leek. Voor de rest ben ik lang, net als mijn vader. Overigens vindt hij dat ik op uw dochter lijk.'

'Je moeder was niet knap.'

Het deed er dus wel toe. Haar vermoeden dat hij vrouwen mede waardeerde om hun schoonheid, was raak geweest. Hij negeerde de opmerking over het vlas.

Ze voelde haar kaken spannen. 'Dan moet het u spijten haar deze naam te hebben gegeven.' Désirée, de gewenste.

'Dat was een keuze van mijn vrouw. Schoonheid vindt zijn oorsprong in karakter, niet in uiterlijk.' Jawel, wat hem betreft ook in uiterlijk. Maar uit deze stelling moest ze afleiden dat het karakter van Désirée hem niet aanstond. Ze had liever gehad dat hij het dan recht in haar gezicht zei, dan wist ze tenminste waar ze aan toe was, dan kon ze eindelijk zonder omhaal vragen stellen.

'Hield oma van u?' Een incisie zonder verdoving, ze kon het niet laten. De vraag bleef in de lucht hangen. In de pijnlijke stilte zag ze dat zijn rechterhand een hulpeloze beweging maakte. Met geen mogelijkheid zou hij het antwoord kunnen uitspreken.

Dini kwam binnen met stokbrood. Ze zette het mandje neer en liep de kamer weer uit. Achter hen sloegen de klokken vrijwel gelijktijdig zes slagen.

'Vergeet u de vraag,' zei ze moe. 'Wat een heerlijke wijn.' Ze nam een grote slok, verslikte zich. Ze proefde niets, maar ze wilde het opnieuw proberen, aardig zijn.

Ze pakte een stukje stokbrood en spoelde het weg met wijn. Ze was dankbaar dat hij haar niet kon zien. Waarom trok hij voor haar zo'n dure fles open? Was het omdat ze verkouden was en hij haar wilde verwennen, terwijl hij wist dat ze nauwelijks wist wat ze dronk? Er kwam haar een fles met nardus voor de geest. De zalf die Maria Magdalena kocht voor Jezus. Dat was geen vergelijking, dat was een gebaar uit liefde, dan gaf je alles wat je had. Maria's liefde was zuiver en onvoorwaardelijk. Deze man verweet haar een week geleden nog uit te zijn op zijn nalatenschap. Niettemin onderschatte zij misschien het gebaar. Ze dronk haar glas leeg en pakte nog wat brood.

Hij nam behoedzaam een slok wijn en zette het glas naast zich neer op het tafeltje. Ze zat hier tegenover iemand die niet gewend was tegengas te krijgen. Hij had het zich in zijn lange leven gemakkelijk gemaakt door zich te omringen met mensen die hem naar de ogen keken, hem gehoorzaamden. Haar oma. Dini. Alleen haar moeder had hem dwarsgezeten.

Door de open ramen nam het gegons van de cicaden toe. Het werd overstemd door het scherpe en indringende gepiep van laagvliegende boerenzwaluwen.

'Désirée had misschien te weinig ontzag voor u. Is het dat wat u hinderde?'

'Je bent vrijpostig,' zei hij snijdend. En na een korte stilte: 'Dat verbaast niet met zo'n moeder.'

Misselijk van de kracht waarmee ze deze man haatte, stond ze op. De stoel viel om. 'Val dood,' siste ze tussen haar tanden door.

Ze liep de kamer uit, de hal door, duwde de voordeur open en sloeg hem dicht. Ze hoorde het in huis nagalmen. In de zakken van haar jas voelde ze de kastanje. Ze smeet hem de bosjes in. 'Val dood,' schreeuwde ze. Ze liet haar hoofd tegen de muur leunen.

Pas toen na verloop van tijd het trillen ophield, drong het tot haar door dat hij haar volmondig als kleindochter erkende. In plaats van vreugde te voelen, bad ze of ze deze vijand mocht liefhebben. Of ze hem niet hoefde te haten.

Ze draaide zich om en drukte op de bel.

Dini verscheen onmiddellijk.

'Hebt u iets vergeten?'

Ze knikte, liep regelrecht door de hal en de kamer, naar de veranda. Hij zat voorovergebogen, de misvormde handen om zijn knieën geklemd.

'Zojuist heb ik u dood gewenst,' zei ze. 'Dat is vrijwel hetzelfde als moord.'

Hij luisterde zwijgend, zijn hoofd geheven, de lege ogen naar haar toegekeerd.

'Het spijt me,' zei ze. 'Het spijt me echt.' Met een feilloze zekerheid wist ze nu ook waar het onbehaaglijke gevoel vandaan kwam dat haar al die keren had dwarsgezeten. De behoefte te vechten, te overwinnen, desnoods ten koste van de ander.

Hij zat daar roerloos, op het beven van zijn knie na, die hij met zijn hand in toom trachtte te houden.

'Ik lijk op u.' Ze stond op, knikte hem toe voor ze naar de deur liep en draaide zich om. Ditmaal sloot ze de voordeur zo zacht alsof er een baby in huis lag te slapen.

Pas in de auto bedacht ze dat hij niet had kunnen zien dat ze hem had toegeknikt. Ze had voor hem moeten gaan zitten. Door de knieën gaan. Hem de kans geven om met zijn handen haar gezicht te voelen, zodat hij zou weten hoe ze eruitzag. Maar ze dacht aan al die vrouwenlichamen die hij onderzocht had. Aan de manier waarop hij haar moeder had genegeerd toen ze hem om hulp had gevraagd.

# 9

Toen de telefoon haar vroeg in de ochtend wekte, wist ze met een berustende zekerheid dat er iets mis was. In fracties van seconden passeerden de mogelijkheden. Hij had een hartinfarct gehad, een hersenbloeding, de spanning was hem fataal geworden. Zij had die veroorzaakt. Ze kwam overeind.

Hij was het zelf. Ze kon hem moeilijk verstaan, zijn stem haperde en leek van ver te komen. 'Dini is gevallen.'

'Dini?' Ze begreep het niet, ze had het zeker niet goed verstaan. Toen drong tergend langzaam de waarheid tot haar door. 'Als Dini valt, kan ze overeind komen,' zei ze. Het moest.

'Ze ligt in de keuken, ze is uitgegleden. Je moet onmiddellijk komen.' Geen vraag, een bevel, zoals hij die vroeger kwistig uitgedeeld moest hebben. Toch had zijn stem niet het gebruikelijke volume, het klonk of hij had hardgelopen. Hij moest op wonderbaarlijke wijze bij de telefoon zijn gekomen, een uitputtingsslag op zich.

'Hebt u...'

'De ambulance komt eraan.'

Ze gaf geen antwoord. Langzaam verbrak ze de verbinding en bleef op de rand van het bed zitten. Het was zeven uur. Hij wist dat ze zou komen, ze had geen keus.

Duizelig van moeheid liet ze zich op bed terugvallen. Nu kwam het er dus op aan, op de opvattingen van haar moeder die hij haar fijntjes voorgehouden had bij het eerste bezoek. Hij had als naaste recht op haar hulp. Sympathie moest ze opbrengen, misschien zelfs respect. Zijn handen helpen de weg te zoeken in zijn overhemd, zijn jasje. Hem helpen met uitkleden. Hem door het huis leiden, het glas naar zijn lippen brengen. Maar nee, dat kon hij zelf, ze hoefde het alleen aan te reiken, zij het blijmoedig, zoals de schenker Nehemia het deed.

Ze stond op en liep naar de spiegel. Om haar mond liepen lijnen, onder haar ogen lagen schaduwen. Ze moest tijd hebben, aan de gedachte wennen van een onmogelijke taak. Maar ze moest zich nu wel aankleden, haar spullen pakken en eigenlijk kon ze beter meteen alles meenemen. Als Dini opgenomen werd, was de kans groot dat hij wilde dat ze bleef. Ook 's nachts. Ze aarzelde. Moest dat? Hadden ze hier geen thuiszorg, geen wijkverpleegkundigen? Ze kon een dag wachten. Ze zou vanavond terugrijden om haar spullen te halen als dat moest en de buurman, Gigou, vragen op te passen.

Ze treuzelde met het ontbijt. Er waren geen andere gasten, die sliepen nog en zouden straks naar het strand gaan of zorgeloos neerstrijken op een terras.

De lege balzaal zag er mistroostig uit. De palmen hadden bruine punten, zag ze nu. Posters met omgekrulde punten en verbleekte landschappen kondigden allang verlopen exposities van Cézanne aan. De toeristen kwamen van heinde en verre voor zijn schilderijen – ze dwong zichzelf nu aan de schilder te denken – terwijl hij honderd jaar geleden bij gebrek aan kopers zijn kippenhok ermee opvrolijkte. Terwijl ze de lauwe croissants at, probeerde ze zich zijn atelier aan de Avenue Pasteur dat ze had bezocht, opnieuw voor de geest te halen. De mooie lichtval door de hoge ramen, de ezels, de dingen die hij geschilderd had en die op zijn doeken een eigen, geheimzinnig leven zouden leiden. De tekeningen aan de muur, hoe zagen die er ook alweer uit. Nu stelde ze zich voor hoe in alle lijsten portretten van Seaubonnet hingen. Ze keek op haar horloge. De winkels zouden nu wel open zijn. Bij de drogist vlak om de hoek kocht ze een doos latex handschoenen.

Met haar armen op het aanrecht geleund keek ze door het raam naar buiten. In de kamer zat Seaubonnet, het ontbijt op zijn schoot. Een geroosterde boterham, een appel in stukjes gesneden, een paar vijgen. Vier keer had ze het ritueel van aankleden, eten koken en naar bed brengen volbracht. Met handschoenen aan tijdens het aankleden en gedurende de dag met een van Dini's gebloemde schorten voorgeknoopt, alsof ze op een dorpstoneel voor Assepoester speelde.

Ze sliep in Dini's bed omdat daar een bel was met een verbinding naar het bed van Seaubonnet, zodat hij op hulp kon rekenen. Midden in de nacht werd ze wakker van de bel en liep ze op de tast naar zijn slaapkamer. Zijn bed stond verloren in het midden van een enorm vertrek, wat haar de gelegenheid gaf er aan alle kanten omheen te lopen, Dini's werk. Zwijgend en slaapdronken leidde ze hem tot de deur van het toilet, wachtte op de gang, pakte zijn arm tot hij in bed lag en sliep droomloos verder tot de bel haar vroeg in de ochtend weer wekte. Zelfs de bel klonk venijnig.

Het was een opluchting geweest toen hij zei dat hij zichzelf kon douchen, mits ze zijn kleding net zo voor hem klaarlegde als Dini dat deed. Hij hoefde alleen geholpen te worden met het overhemd, de kleine knoopjes, de stropdas. Meestal koos hij ondanks de warmte voor een koltrui, maar als Gigou kwam, wilde hij in stijl.

Gigou zag eruit als een landloper, met kleren vol vlekken. Seaubonnet zag het niet, hij zou het niet willen weten ook. Het was Gigou's kennis van de wijn die hem in Seaubonnets ogen een glans van aristocratie verleende.

Sinds Dini was opgenomen, leek hij gespannen en mogelijk had hij daardoor meer pijn. Hij klaagde nooit, maar ze zag hoe hij de kaken opeen klemde, hoe hij met alle macht zichzelf opnieuw in de greep trachtte te krijgen. Soms vroeg hij om medicijnen.

Als ze uit het ziekenhuis kwam en vertelde hoe het met Dini was, gaf hij geen antwoord. Het kostte haar de grootste moeite de wrange zinnen die ze in gedachten formuleerde, voor zich te houden.

Hij merkte onmiddellijk dat ze handschoenen droeg. Ze hoefde hem niet te opereren, zei hij scherp, zijn verzorging vereiste geen steriele benadering. Ze had iets over eczeem willen zeggen, maar het zou een leugen zijn. Ze zei niets. Hij zei verder evenmin iets. De rest van de dag vulde ze de stilte met opmerkingen die er niet toe deden, die ze even goed tegen een gekooide kanarie of een slapende kat had kunnen zeggen, en opmerkingen die des te pijnlijker waren omdat ze te laat bedacht dat het voor hem niet uitmaakte of de gordijnen open waren of dicht, of dat het weer leek op te knappen. Ze bleven in de ruimte hangen en vervlogen als ochtendmist.

De eerste dag had ze voor de deur van de badkamer gewacht. Hem vriendelijk gevraagd die niet op slot te doen, zodat ze kon helpen, mocht hij komen te vallen. Vallen, zei ze, maar het kon altijd erger. Sinds ze hier over de drempel was, doemden de schrikbeelden voor haar op. Hij kon onwel worden, een hartstilstand krijgen, ze moest op het ergste zijn voorbereid. Waarschijnlijk verzorgde zij hem anders dan hij gewend was, maar ze kon Dini het protocol niet vragen.

De afgelopen dagen had hij alleen de hoogstnoodzakelijke vragen beantwoord. Wist hij waar ze een stoffer en blik kon vinden? De vuilniszakken? De kurkentrekker? Toen ze na twee dagen wist waar alles lag, werd het stiller en stiller en bewogen ze zich als mimespelers in een theaterstuk.

Als ze hem met aankleden geholpen had, haar handen vlak bij zijn gezicht, zijn lichaamsgeur ontwijkend door zo lang mogelijk haar adem in te houden, vluchtte ze de tuin in. Buiten zoog ze frisse lucht naar binnen terwijl ze tussen de klaprozen en de wilde haver doorliep, haar handen erlangs halend voor ze die tegen haar neus hield en diep inademde. Munt en tijmblaadjes plukte ze en deed ze verstolen in de schortzak. Zo verzamelde zij geuren die de zijne moesten verdrijven.

Dat was het, wist ze ineens, ze moest in de tuin werken. Spitten, graven, iets doen voor ze stikken zou. Zich laven met lavendel, om niet herinnerd te worden aan haar moeder, want zodra ze hem rook, verscheen onverklaarbaar het beeld van Désirée en vocht ze tegen heimwee.

Ze liep de kamer in en haalde het ontbijtbord weg. 'Een kopje koffie?' vroeg ze opgewekt. Hij knikte. Ineens werd ze overweldigd door een gevoel van medelijden. Als zij naar buiten liep, bleef hij veroordeeld tot de plek waar hij zich op dat moment bevond. Als hij een zakdoek wilde, onverwacht naar het toilet moest, behoefte had om naar buiten te gaan, moest hij het haar vragen.

'Zal ik muziek opzetten?' stelde ze voor. Ze verwachtte nauwelijks antwoord en praatte verder terwijl ze door de kamer liep. 'Ik dacht dat ik misschien wat in de tuin kon werken, onkruid weghalen. Vindt u dat goed?'

'Dini zal het fijn vinden.'

Hij zag de tuin niet, al wiedde zij de laatste grasspriet er uit. Hij kon niet nalaten haar daar even op te wijzen, dacht ze geïrriteerd. Maar goed, ze zou het voor Dini doen. Een ode aan haar, die fresia's neerzette, alleen om hem het plezier van de geur te gunnen.

Tot haar verbazing vroeg hij om motetten van Galuppi. In de kast vond ze op zijn aanwijzingen achter een stapel ordners een muziekverzameling die haar verraste.

Gounod, Galuppi, Monteverdi. Mooie, melodieuze namen en muziek die een bezielde, gevoelige luisteraar veronderstelde.

Ze bleef even staan luisteren toen een zuivere countertenor hem toezong. *O Deus! Clementiam tuam precanti ostende; ab imminenti pato me salva.* O God! Wees genadig één die tot U bidt. Langzaam liep ze de kamer uit en liet hem achter, gevangen in een gebed.

Het huis was groter dan zij had gedacht. Pas de dag na haar aankomst zag zij kans door de gang naast de grote keuken weg te dwalen en andere deuren te openen. Ze had het hem niet durven vragen, ze was gegaan toen zijn hoofd na de warme maaltijd op zijn borst was gezakt. Ze liep op blote voeten de kamer uit. Zijn geoefende oren konden haar, als hij ontwaakte, vermoedelijk tot in alle hoeken van zijn huis horen. Maakte een van de deuren bij het opendoen geluid, dan hield ze ademloos de deurknop vast en voelde ze zich een inbreker. Er waren meer vertrekken dan hij inrichten kon. Aan de betegelde gang met de op- en afstapjes leek geen einde te komen. Sommige kamers waren leeg, op een ledikant, een tafeltje, een paar stoelen of een kast na. Van de plafonds hingen dunne stofslingers naar beneden die schimmig bewogen bij het opengaan van de deuren. Sliepen hier destijds de monniken in eenzame afzondering? De bibliotheek aan het einde van de gang zoog haar naar binnen. Hier, ze moest het hem eerst vragen natuurlijk, zou zij zich kunnen uitleven. Ze bekeek de ruggen achter glas. Anatomie, oncologie, pathologie, psychologie. Muziekencyclopedieën, waarin vermoedelijk alles te vinden was over Gounod en Galuppi. Verder, hier had je de klassieken. Keurig op alfabet. Dickens – Scrooge! –, Dostojewski, Dumas, Heine, Hemingway, Moravia. Kon ze hem, zoals met Scrooge was gebeurd, maar aan de hand meenemen en hem terugvoeren naar de landschappen van zijn jeugd, waar hij de vreugde van het leven gevoeld moest hebben. Kon ze hem de kleuren uit zijn kinderjaren maar teruggeven, de warmte, de onbevangenheid die hij toen nog had en die hij, naarmate hij groeide, op de bodem van zijn ziel had laten liggen.

Pas nu durfde ze ook, nadat ze goed geluisterd had of hij haar niet riep, zijn slaapkamer te bekijken. Ook hier stonden boeken achter de glazen deuren van een hoge kast, sommige met perkamenten en in leer gebonden banden en onleesbare titels. Hoewel ze nieuwsgierig was, durfde ze de kastdeur niet open te maken. Ze ontdekte nog een zijkamertje en stond lang voor een ingelijste reproductie van een koppig kijkende jongen die over een enorme verlaten, heuvelachtige vlakte rende. Hij droeg een zwarte jas en een zwarte pet. Een onzichtbare zon wierp een indigoblauwe schaduw achter hem in het gras. Alleen aan de fladderende slippen van zijn jas kon je zien dat het waaide. Je voelde de schrale kou van een oostenwind die over de vlakte voor een gevoelstemperatuur van ver onder nul zorgde. Tegen een houten paaltje lag een miezerig restje sneeuw. 'Winter', in 1922 geschilderd door Andrew Wyeth.

Voor het eerst vroeg ze zich af hoe eenzaam hij was.

Het werken in de tuin deed haar goed. De eerste dagen spitte ze stukken grond om waarin zoveel onkruid woekerde dat het haar de enige oplossing leek. Dat ze haar woede stilde naarmate ze de spade dieper de grond indreef, drong nauwelijks tot haar door. Heftig smeet ze grote distels, dikke bossen duizendblad, hertshooi en alles wat niet in de perken hoorde tegen de tuinmuur op de composthoop. Liefst met veel wortels, zodat er zware kluiten onder de planten hingen. Oude potten had ze ook geprobeerd. Met het kapot gooien van de potten had ze onwillekeurig achterom naar het huis gekeken.

De spierpijn was welkom. Het verdrong al het andere, het was een eerlijke pijn die haar een paar dagen in beslag nam. Ze vergat niet kleine boeketjes kruiden te plukken die ze bij hem neerzette. Munt, oregano, rozemarijn, tijm. In de bijkeuken zocht ze bijpassende vaasjes. Ze probeerde het geurenpalet af te wisselen, dan weer met lavendel, dan weer met een paar rozen. Hij zei er niets over, maar één keer zag ze hoe zijn hand naar de tafel ging, de blaadjes voorzichtig streelde en hij zijn hand naar zijn neus bracht om te ruiken.

Elke dag ging ze naar het ziekenhuis. Gigou, de vrijgezel die volgens Dini dol was op zijn eigen wijnen, kwam oppassen. Uren kon ze wegblijven, hij hielp Seaubonnet als het nodig was, ze hoorde hem tenminste niet klagen. Zodra Gigou binnenkwam, werd Seaubonnet levendig en vloeiden de zinnen de kamer in alsof iemand een kraan had opengezet. Meteen kreeg zijn stem het oude volume, draaide hij onmiddellijk de rollen weer om en beval haar een fles wijn te openen en voor wat eten te zorgen.

'Haal een Château Vignelaure uit de kelder!'

Ze daalde gedwee de trappen af, haar mond vies vertrokken bij het idee van ongedierte.

Onder het zoeken naar de kurkentrekker en de glazen hoorde ze een ode aan over een kasteelbezitter uit Bordeaux. Hij had bezittingen op de Haut-Médoc verkocht om hier in de Provence neer te strijken en de Vignelaure te maken. Een verhaal dat Gigou vermoedelijk uitentreuren kende.

'Een voorname oude robe,' hoorde ze Gigou vol bewondering zeggen.

'Wat zou ik het dakpannenrood van de Vignelaure, la couleur tuille, nog eens willen zien.' De stem van Seaubonnet klonk weemoedig.

'Niet te vol madame, denk aan het bouquet,' zei Gigou, die zonder haar aan te kijken het glas gretig uit haar vingers pakte. Hij liet zijn forse neus in het kristal dalen. 'Een belegen geur met voldoende grandeur om te overtuigen. Een rijpe, beschaafde wijn,' hoorde ze hem zeggen. Hij sprak een taal die vloekte met zijn eigen verlepte uiterlijk.

Ze smeet de deuren dicht en rukte Dini's schort af. Zo probeerde ze Seaubonnet even uit haar gedachten te bannen.

'Gaat u mee?' had ze de dag na de operatie gevraagd, klaar om naar het ziekenhuis te gaan.

'Nee.'

'Ziet u tegen het autorijden op?'

'Ik ga niet mee.'

73

Bij Dini kwam ze tot rust. Althans, de eerste dagen, toen Dini met gesloten ogen in een bed lag dat te groot voor haar leek. Een infuus druppelde langzaam een zoutoplossing in haar aderen. De huid rond de pleisters was rood.

Inge zei opgewekt dat Dini zich geen zorgen hoefde te maken. Zij zorgde voor Seaubonnet en het leek er werkelijk op dat hij haar kookkunst waardeerde. Ze zou het huis laten blinken als ze terugkwam. Liep Dini dan nog op krukken, dan nam ze haar met veel plezier als patiënte erbij, ze deed geweldig veel ervaring op met Seaubonnet, een wijkverpleegkundige was er niets bij. Ze fluisterde maar door, zacht, of ze aan het bed van een kind zat dat maar niet in slaap kon komen.

Dini was dezelfde dag geopereerd en had veel pijn. Pas de tweede dag deed ze voor het eerst haar ogen open en gleed haar hand over de deken in haar richting als teken van herkenning. Toen ze zich voorover had gebogen om de verweerde handen te strelen, bedacht ze dat die handen altijd maar gezorgd en gewerkt hadden.

'Blijf lekker liggen, ik neem Seaubonnet wel voor mijn rekening.' Ze zag een flauwe glimlach.

De middag erna was Dini helder. 'Kun je het een beetje aan?' vroeg ze bezorgd.

'Ik kom net vragen hoe het hier is,' had Inge gezegd.

'Hoe kan ik nou rustig liggen als ik niet weet hoe het gaat?'

'Het is moeilijker dan ik hoopte,' gaf ze toe. Ze had opgewekt willen zijn, sterk.

'Ik begrijp het.'

74

'Hij mist je, denk ik. Hij is gespannen, snel moe. Mij aanvaardt hij als het noodlot, lijkt het.'

'Probeer een beetje begrip te hebben. Hij vecht met zichzelf en lijdt eronder.'

'Ik ook.'

Dini had haar hand gepakt. 'Ik hoop snel beter te worden,' zei ze.

'Leg me uit hoe jij dat doet, voor hem zorgen. Op die manier, zoals de Samaritaan.'

Dini had haar peinzend aangekeken. 'Je verwacht misschien dat ik medelijden met hem heb. Maar dat is het niet. Ik ken hem al zo lang. Ik mag hem en respecteer hem.' Ze zweeg. Inge dacht even dat ze in slaap was gevallen.

'Hij heeft je vast niet verteld dat ik over zíjn stok ben gestruikeld,' zei Dini toen.


Ze stond in de kamer en keek naar hem.

'Zal ik u voorlezen?' vroeg ze.

Hij hief verrast zijn hoofd omhoog.

'Een nieuw beleid?' vroeg hij, maar ze zag dat de vraag hem goeddeed.

'Toen u een keer sliep heb ik het huis bekeken en ontdekte ik de bibliotheek,' onthulde ze. 'Ik begreep dat u veel gelezen moet hebben.' Ze zag hem eindelijk glimlachen, een zachte, nauwelijks waarneembare lach.

'Misschien vindt u het fijn om nog eens wat passages te horen. Ik kan in Aix ook iets moderns bij de bibliotheek lenen, al lees ik gemakkelijker in het Nederlands dan in het Frans.'

Hij hield, zei hij bedachtzaam, van de verhalen van Toergenjew, die kon ze vinden op de middelste plank van de boekenkast tegenover de deur, in een bruinleren band. Toen ze naar de bibliotheek liep, bedacht ze dat hij mogelijk jarenlang de boeken verslonden had, tot langzaam het licht uit zijn ogen verdween, de letters vervaagden.

Zodra Dini terugkwam, zou het voorlezen voorbij zijn. Tenzij ze natuurlijk bereid was om hier... Ik hoef mijzelf niet te kwellen, zei ze, springend over de op- en afstapjes van de gang. 'Every day has a series of new beginnings,' schreef een Engelse vriendin die genoeg had meegemaakt om deze opmerking te kunnen maken. De ansicht hing boven haar bureau in Leiden. Een variant op het gebod om bij de dag te leven, vond ze, en een legitieme manier om je geen zorgen te maken voor alle verantwoordelijkheden die zich de week daarop weer voordeden.

In de bibliotheek snoof ze de geur op van oud leer en papier. Voorzichtig pakte ze het boek en sloeg het open. Er viel iets op de grond en ze bukte zich automatisch om het op te rapen. Tussen de vergeelde bladzijden had een kleine foto gelegen. Ze liep ermee naar het raam en staarde naar een meisje met een muts, dat verlegen om de deur keek. Een kind, een kleuter nog. Het was een ouderwetse foto, genomen in een ouderwets huis. Het huis van Seaubonnet in Haarlem, drong het ineens tot haar door, vandaar dat haar vader juist deze foto gestuurd had. Het was niet denkbeeldig dat hij haar Toergenjew liet uitkiezen vanwege de foto. Of was hij het vergeten en zaten tussen het lezen van het boek en het bekijken van de foto bijna vijfentwintig jaar?

Ze legde de foto voorzichtig op een van de boeken.

Hier was ze dus al die jaren bewaard gebleven, diep verborgen in het verhaal van zijn lievelingsschrijver.

'Zal ik er een château bij schenken?' vroeg ze een tikje schalks, toen ze met een van de delen terugkwam. 'Laten we zeggen een Vignelaure?' Ze besloot de foto te laten rusten.

'Ik kan wel merken dat jij de wijn niet hebt ingekocht,' zei hij, maar zijn stem klonk mild.

Het leek bedrieglijk echt, dit knusse familietafereel-tje. Ze nam een slokje van de inderdaad verrukkelijke Vignelaure, voor ze zich weer over het boek boog en verder las: *Ik begon hem aandachtig gade te slaan, niet hemzelf, maar zijn omgekeerde beeltenis in het water. Deze was heel duidelijk te onderscheiden, alleen een beetje donker, een beetje zilverachtig. Vanuit de wijde vijver woei ons koelte tegemoet, ook de vochtige, steile oever verspreidde koelte: dit was des te aangenamer, omdat boven ons hoofd, boven de groepjes bomen, in het gouden en donkere blauw als een voelbare last de roerloze hitte hing... Uit de diepte van het water staarde hij mij aan: vreemd ontroerend, ja veelzeggend scheen mij die treurige blik.*

Ze keek van het boek op en staarde in zijn gezicht.

Inge keek naar Dini. Ze lag diep in de kussens, haar ogen gesloten. Een verpleegkundige had Inge op de gang aangehouden en gezegd dat de temperatuur te hoog was. Het zou op een complicatie kunnen wijzen, maar voorlopig gingen ze ervan uit dat het een normale reactie op de narcose was.

Ze bleef lang naast het bed zitten. Dini ademde onregelmatig. Soms leek het of ze wakker wilde worden, maar dan zakte ze weer weg, de mond iets open. Ze zag er ziek uit, haar handen voelden warm. De eenzaamheid hing bijna tastbaar in de kamer, om het lege bed naast dat van Dini, de stalen buizen met de gordijnen, de steriele lampjes, om Dini zelf.

Moet er niemand gebeld worden, had ze Seaubonnet gevraagd, familie? Vrienden misschien? Dini had geen contact met familie, zei Seaubonnet. Met de kerst kreeg ze een paar kaarten van nichtjes. Een van hen was een paar jaar terug op weg naar de Côte d'Azur haastig op de koffie geweest. Maar daar was het bij gebleven.

'Dini maakt het naar omstandigheden goed. De doktoren zijn tevreden. Ze heeft wat koorts, maar dat komt vermoedelijk van de narcose en de verwachting is dat ze snel overeind mag,' zei ze met haar jas nog aan.

Seaubonnet en Gigou zaten in de kamer. Op de grond stond een lege fles, op tafel stond de volgende, geopend. De stok van Seaubonnet was van de stoelleuning gegleden en een eindje achter de stoel gerold. De ivoren leeuwenkop lag als in overgave over de rand van het tapijt opzij geknikt. Zo was ze dus gevallen.

'Ik had haar eerder gemobiliseerd,' zei Seaubonnet korzelig tegen Gigou. Hij had rode konen. 'Gezondheidszorg is hier vooroorlogs, straks krijgt ze onnodige complicaties.' Gigou nam een ferme slok wijn. 'Op Dini's gezondheid,' zei hij. Zijn stem klonk dik.

Ze liep het zandpad af opzij van het huis. Gigou zou voorlopig wel blijven, was de ervaring. Hij wist als geen ander de weg naar de kelders, stomdronken desnoods. Het pad liep langs een oude olijfgaarde. Onsterfelijke bomen, zeiden ze hier. Ze probeerde haar voeten in de sporen van een vorige wandelaar te zetten. Een man moest het zijn geweest, de passen waren te groot voor haar, net als de voetafdrukken. Haar taak was ook boven haar vermogen. Het kon zo niet blijven, men kon niet van haar verwachten dat ze hier de hele boel regelde met een zieke vrouw en twee dronken kerels. Ze moest nu ophouden met in het zand te spugen, voor het een gewoonte werd. Maar als ze vertrok, moest hij naar een verpleeghuis. Dat zou hij als een schande zien en het kon zijn dood wel eens zijn als men hem uit zijn huis haalde.

Een onmiddellijk vertrek was verleidelijk. Als ze zich nu geruisloos verwijderde, zou Gigou na verloop van tijd de keldertrap afstommelen en zich na een volgende fles vermoedelijk verstappen. Het scenario ontspon zich terwijl ze met grote passen de te grote voeten volgde. Ze bedacht hoe Gigou verdoofd van pijn en alcohol op de grond zou liggen in het vage besef dat zijn zwaar gezwikte enkel hem tegen de grond hield. Ze zag Seaubonnet, voorovergebogen om de geluiden op te vangen. Hij zou niet roepen voor de stilte hem te machtig werd. En dan, als hij besefte overeind te moeten komen, zou hij naar zijn stok tasten die te ver achter zijn stoel lag.

Ze bleef staan onder de schaduw van een oude olijfboom en ging met haar rug tegen de stam zitten. Op het pad voor zich kon ze de schaduwen van kleine olijven zien die als knikkers tussen de groenzilveren blaadjes boven haar hoofd hingen.

Maar misschien zou het zijn dood niet zijn, dacht ze later, terwijl ze toch het spoor weer volgde. Ze zette met verbeten stappen haar voeten in die van haar voorganger, maar nu met de neuzen van haar schoen in de hakken van de ander. Misschien was een verpleeghuis het beste wat hem kon overkomen.

'Dini?'

Dini draaide haar hoofd haar kant uit en probeerde te glimlachen.

'Het lukt, ik ben hem aan het voorlezen.'

Reageerde ze? Inge pakte haar hand, die droog en warm aanvoelde. 'Je zou ons moeten zien 's avonds. Ik lees hem verhalen voor van Toergenjew, een oude Rus. We drinken een glas wijn en ik mag zelfs muziek opzetten.'

Dini deed haar ogen open. 'Ik ben zo moe,' zei ze.

'Je hebt beloofd beter te worden,' zei Inge.

'Ik heb het leven niet in de hand, kind.'

'Ik weet het. Ik bid of je beter mag worden.' Ze bad inderdaad, maar haar gebed was gedrenkt in eigenbelang. Hoe eerder Dini de boel weer kon redderen, hoe eerder zij kon vertrekken. Nee, dat was niet helemaal waar. Het zou fijn zijn haar weer te zien in het huis. Zij gaf het een glans die er nu niet was.

'Maar je moet weten dat het goed gaat met hem,' haastte ze zich te zeggen. 'Hij went eraan dat ik niet zo vaardig ben als jij, maar soms heb ik het idee dat hij het niet al te vervelend vindt dat ik er ben. Al laat hij dat niet merken natuurlijk. Als het me teveel wordt, ga ik de tuin in.' Ze had de tuin als een verrassing willen houden, maar nu praatte ze door of ze een pleidooi moest voeren. 'Ik geef de planten water, en ik heb hele stukken gewied. Je weet niet wat je ziet als je terugkomt. De rozen bloeien, de lavendel is zo mooi en ik heb jouw schorten voor. Jammer dat Seaubonnet het niet kan zien, dan zou ik in zijn achting stijgen, als hij zag hoe ik mijn best doe om op jou te lijken.'

'Een mens kan gemakkelijk gemist worden.'

'Ja, néé. Het is niet hetzelfde nu jij er niet bent. Het huis is dof, en Seaubonnet is ook dof.' Seaubonnet, die hier aan het bed had moeten zitten en zou moeten zeggen dat hij haar miste, dat zij de glans aan zijn leven gaf.

Dat hij besefte zonder haar niet eens in zijn huis te kunnen wonen. Hij had geld gegeven voor bloemen. De afkoopsom. Dini had stralend bedankt voor het boeketje, haar gezegd dat ze vooral niet moest vergeten tegen hem te zeggen hoe ze dat op prijs stelde.

Ze haatte hem nu. De woede kroop omhoog en liet haar stem dalen.

'Zou je willen dat hij zelf kwam?'

'Hij komt niet. Het herinnert hem hier teveel aan vroeger, aan de tijd dat hij het in een ziekenhuis voor het zeggen had.'

Moe boog ze zich over Dini heen. Ze kuste haar. 'Ik zal desondanks mijn best doen,' zei ze.

*Onweer, dacht ik, en inderdaad, het was onweer, maar het passeerde op zo grote afstand, dat de donder niet te horen was. Alleen flikkerden aan de hemel onophoudelijk bleke, lange-bliksemschichten met veel uitlopers: van flikkeren kon men eigenlijk niet eens spreken, het was veeleer een trillen en schokken, als een vleugel van een stervende vogel...* Ze hield op met lezen. 'Ik maak me zorgen,' zei ze.

Het bleef even stil.

'Dat laatste stond niet in het verhaal?'

'Nee.'

'Waarover gaan de zorgen?'

'Over Dini.'

'Dini knapt op, ze heeft het gestel van een wegwerker.'

'Misschien vergis ik me, maar ik heb het gevoel dat

Dini wegglijdt. Ze is zo stil, het lijkt of ze weinig zin heeft om beter te worden.'

'Waarop baseer je dat?'

'Op wat ik zie en op een hardnekkig gevoel.'

'Gevoel is een slechte graadmeter,' zei hij, na een iets te lange stilte.

'Wellicht. Toch zou het goed zijn als u haar zelf zag, u bent medicus, en los daarvan zou u haar moed in kunnen spreken. Zeggen dat u haar nodig heeft,' voegde ze eraan toe.

'Nee.'

'Ik kan een taxi regelen als u wilt, met een hoge instap, zodat het u niet al te veel inspanning kost.'

'Nee.'

Ze stond op en liep naar boven.

Voor het raam staarde ze naar de schemerige tuin vol schaduwen.

*Mama, waar dacht je aan toen je ziek was? Zag je toen je vader voor je – onvoorstelbaar dat jij deze man ooit als 'papa' aansprak – en hoopte je op zijn aandacht? Herinnerde je je toen de goede momenten die er geweest moeten zijn, of zag je zijn harde ogen, die jou nog recht hebben aangekeken? Dacht je aan zijn stem die beval, geen tegenwerping verdroeg en zelden wegeed in een lach?*

*Je probeerde telkens opnieuw zijn liefde te winnen, want zo loyaal zijn kinderen, ze gaan maar door met liefhebben, zelfs als ze geslagen worden of zoals bij jou gebeurd moet zijn, als je vader zich omdraaide als je je armen naar hem uitstrekte.*

*Ik had gehoopt dat het meeviel, dat jouw vader genereu-
ze kanten had die jij misschien over het hoofd had gezien in
je onbevangenheid. Hij heeft ze niet. Hij haat het zwakke
en nu zou hij om dezelfde reden zichzelf moeten haten, als
zijn monstrueuze eigenliefde hem niet in de weg stond.*

*Durfde ik het hem maar gewoon te zeggen, maar nu ben
ik echt jouw dochter, ik loop hier voor me uit te mompelen,
ik reageer me af in de tuin.*

Langzaam sloot ze de gordijnen.

'Kun je iemand uit de grond van je hart haten en tegelijk
in de verte het gevoel hebben hem aardig te vinden?' Ze
had in een opwelling het nummer van Tim Becker gedraaid, ze moest er met iemand over praten. Nu.

'Vergeet niet dat het je grootvader is,' zei hij.

'Maar ik zou hem kunnen slaan.' Ze hoorde zichzelf
hijgen alsof ze zojuist de daad bij het woord had ge-
voegd. 'Tegelijk is er iets wat ik niet kan omschrijven,
maar wat meer lijkt dan het besef dat hij mijn grootvader
is. Het is een gevoel.'

'Je zou, als je hem geslagen had, nog iemand anders
haten.'

'Om de gedachte boet ik al in aan zelfrespect.'

'In jezelf tot de orde roepen schuilt nederigheid.'

'Niet meer dan een glimpje,' zei ze triest.

'Zie ik je nog eens?' vroeg ze.

Het bleef lang stil.

'Ik vrees van niet,' zei hij toen. 'Ik vertrek onverwacht
voor mijn werk een paar maanden naar een universiteit
in New Orleans.'

# 12

Ze reed langzaam naar het ziekenhuis. Het was een dag om aan het strand te liggen. De zon liet de perziken blozen en de laurier glanzen. Op telefoondraden vormden bijeneters knus tegen elkaar aangedrukt een exotische slinger in geel en groen. In de vlucht leken ze papieren vliegtuigjes, gevouwen door een kind. Langs de velden bloeide tijm. In plaats van al dit lieflijks te kunnen ondergaan, had ze Seaubonnet aangekleed, boodschappen gedaan, gewassen en gestreken en de keuken gedweild. De spierpijn was verdwenen. Merkwaardig genoeg voelde ze een andere, nieuwe energie.

Vroeg in de ochtend was haar telefoon gegaan en had ze naar haar vader geluisterd alsof hij zich uit een wereld meldde die ze zich nauwelijks herinneren kon. Ze had zelfs in geen dagen aan haar vrienden gedacht. Af en toe belde ze naar een vriendin voor de post, naar haar collega voor de praktijk.

'Hoe is het met je, ben je al terug in Leiden?' Haar vader klonk opgewekt.

'In Leiden?'

'Je moet onderhand werken toch?'

'Over een paar weken pas.' Ze wist het niet eens precies, rekte onwillekeurig de zinnen, praatte langzaam, ze moest nadenken over een verklaring.

'Ik zorg voor hem.' Dat was een pijnlijke mededeling, wist ze. Het bleef dan ook lang stil.

'Ik begrijp het niet.'

'Ik ook niet papa, het is de zwaarste opdracht in mijn leven en toch kan ik hier niet weg. Het is net of ik van hogerhand gedwongen word hier te blijven.'

'Te blijven?'

'Tot Dini beter is. Ze ligt met een gebroken heup in het ziekenhuis en Seaubonnet sommeerde me te komen. Er zat niets anders op, ik vond dat ik het doen moest.' Haar vader hoefde niets te weten over haar twijfels, over haar groeiend gevoel van onbehagen bij de verlammende gedachte niet weg te kunnen als Dini niet in staat zou zijn om terug te komen. 'Je zou trots op me zijn als je me hier bezig zag.'

'Mag ik mezelf nu een compliment geven voor de opvoeding?'

'*Naturellement*. Papa, hoe gaat het met je?'

'Claire zegt dat ik tien jaar jonger lijk. Ik wil dat jij ook gelukkig bent.'

'Er is hier iemand die me nodig heeft. Dat is geen slechte basis voor geluk.'

'Ik doel op een aardige man in je leven.'

'Wie weet,' zei ze moe.


'Je zit rechtop!'

Dini lachte. 'Ik heb beloofd dat ik mijn best zou doen.'

'Je had me juist op de vingers getikt met de mededeling dat we ons leven niet in eigen hand hebben.'

Dini wees naar het lege bed naast haar. 'Vorige week dacht Noëlle nog dat ze naar huis mocht. Vannacht is ze overleden.'

Inge trok een stoel bij het bed en ging zitten. 'Ik herinner me haar niet.'

'Ze was nog geen dag opgenomen, net nadat je hier geweest was de vorige keer. Ze kwam voor een simpele operatie, maar achteraf bleek haar hart niet sterk. Ze was nog jong, net zestig.'

'Je hebt het gestel van een wegwerker, zegt Seaubonnet.'

'Ja, dat is typisch een diagnose van hem.' Ze plukte pluisjes van de katoenen sprei en draaide er een balletje van tussen haar vingers, alsof die handen maar niet konden wennen aan het nietsdoen.

Haar nagels waren te lang, zag Inge. Iemand had het haar in een vreemd knotje gedraaid, zodat ze er uitzag of ze een stukje moest opvoeren waarin ze iemand anders nadeed. In een handomdraai konden mensen hun oude elan verliezen, een week in bed was voldoende. 'Je vat het niet op als een compliment.'

'Het is ook niet bedoeld als compliment, hij zegt het omdat hij bezorgd is.'

Hij is niet bezorgd om jou, wilde Inge zeggen, zijn zorg geldt hemzelf. 'Maar het gaat beter met je! Laat hem één keer gelijk hebben,' zei ze.

'Het zal niet uitmaken of hij het zegt of niet.' Dini duwde de mouwen van haar nachtpon omhoog, de elastiekjes aan de binnenkant van de mouw bleven halverwege de armen hangen. Een kantje krulde langs het gebloemde katoen. 'Kom,' zei ze. 'Draai mij eens even opzij. Eerst moet ik met de benen bungelen. Zo, geef de krukken nu maar aan, dan wandelen we de gang door. Ik moet meer bewegen van de dokter.'

Ze schuifelden de gang door alsof ze zich in een lange rij voor een loket bevonden die maar niet opschoot. Inge hield haar arm losjes om Dini's rug, met de andere hand steunde ze haar arm. Dini leunde zwaar op de krukken en hijgde. Het zweet brak haar uit. Inge durfde niet te praten. Als Dini opnieuw onderuitging, was de ramp niet te overzien. Haar shirt plakte op haar rug, ze wenkte met haar ogen in paniek een zuster die net uit een van de zalen kwam.

'Zo, mevrouw Boogerts, lekker aan de wandel?'

Waar ook ter wereld zouden verpleegkundigen niet nalaten zelfs stervenden toe te roepen dat het een lekker weertje was. Onderzoeken duurden altijd maar eventjes, mevrouw, en als iemand zich op krukken de gang doorsleepte was ze lekker aan de wandel. Ze was blij dat Dini geen antwoord gaf. De zuster bleef in ieder geval opgewekt terzijde tot Dini uitgeput in de kussens lag.

Inge keek naar een zweetdruppel die zich uit het grijze haar losmaakte en zigzaggend over de wang in het kussen gleed. Ze stond op om een washandje te zoeken. Ze hield het onder de kraan tot het ijskoud aanvoelde en kneep het uit.

'Ik leg het op je voorhoofd,' zei ze.

Dini hield haar ogen gesloten. Toen ze stil opstond

om te vertrekken, stak Dini haar hand uit. 'Lief kind,' zei
ze.

*Ik daalde af in het dal. Daar kronkelde zich een smal zand-*
*weggetje dat naar de stad voerde. Ik volgde dit weggetje…*
*toen het gedempte geluid van paardenhoeven achter mij*
*klonk. Ik keek om, bleef onwillekeurig staan en nam mijn*
*pet af.*

'Wie kan dat nou weer zijn?' zei Seaubonnet geïrriteerd toen de telefoon overging.

Inge stond op, noemde de naam van Seaubonnet.

'Met zuster Paget. Mevrouw Boogerts is zojuist onverwacht overleden. We vermoeden dat het een longem-
bolie is geweest. Het spijt ons oprecht en we begrijpen
dat het u overvalt. Als we dit verwacht hadden, was u natuurlijk eerder ingelicht. Ze moet rustig in haar slaap
zijn overleden.'

Het was niet meer dan een zakelijke mededeling. Een
stem, dezelfde die 'Zo, lekker aan de wandel?' had gezegd.

'Ik kom eraan,' zei ze.

Ze draaide zich om naar Seaubonnet, greep een stoel
om zich aan vast te houden. 'Dini is overleden,' zei ze.
Ze ging zitten, haar benen leken ineens te smelten. De
klokken tikten, duizend jaren waren in Gods ogen als de
dag van gisteren.

'Ik zal Gigou bellen,' zei ze. 'Ik moet erheen.'

Ze wachtte de komst van Gigou niet af, net zo min als
de reactie van Seaubonnet, die zou ze niet kunnen verdragen op dit moment.

Ze haastte zich alleen naar de dode en waakte daar zwijgend, vol verwarde gedachten die, naarmate de nacht naderde, plaats maakten voor verdriet om Dini. Dini, de dienende, die gaf en niet ontving. Dini had haar herinneringen aan een moederschoot teruggegeven. Aan de plek waar ze als kind gekoesterd was, waar iemand liedjes zong of voorlas en waar ze spontaan in slaap was gevallen.

Ze voelde een weemoedig verlangen naar haar moeder, die ze maar zo kort gekend had.

Ze zat daar, tot een zuster kwam zeggen dat ze beter kon vertrekken.

Hij was nog op. Gigou zat nuchter naast Seaubonnet en nam zijn pet af toen ze met roodomrande ogen binnenkwam. Het was half twee. Vanuit het raam zag ze de maan in een stralende halo. Op de tafel stonden twee volle glazen Perrier.

'Met oprechte deelneming,' zei Gigou. Het scheelde weinig of ze schoot in een zenuwachtige lach. Met uiterste inspanning wist ze zich te beheersen. 'Dank u wel,' zei ze. Seaubonnet zei niets. Pas nadat Gigou vertrokken was, ging ze zitten.

# 13

In haar moede hoofd passeerde de avond als een slapeloze nacht waaraan geen einde leek te komen. Als ze haar ogen sloot, zag ze de aandoenlijke kantjes van de nachtjapon om de stille armen voor zich, het knotje, netjes bijgekamd door een zuster, alsof er elk moment bezoek kon komen, terwijl het er niet meer toe deed. De huid, glad en wit weggetrokken, de vriendelijke ogen voorgoed gesloten.

Ze keek naar hem. Hij beefde en ze voelde een vreemd erbarmen. Zou hij in deze ogenblikken van woordeloze emotie zijn gedachtestroom de vrije loop geven over de gevolgen van dit sterven? Of waren zijn gedachten gestold op het moment dat de boodschap kwam, zoals bewusteloosheid het lichaam voor te veel pijn behoedde?

'Wonderlijk,' zei ze, terwijl ze het nog volle glas Perrier van Gigou pakte en een slok nam. 'Dat ik zo van Dini ben gaan houden.'

Ze zag dat hij het koud had. Ze stond op en haalde een jasje uit zijn kamer. Ze legde het om zijn schouders, er goed op lettend dat zijn stok niet op de grond gleed.

Toen trok ze de gordijnen dicht.

Hij bewoog zich niet.

Ze dronk het glas leeg en rilde. Bronwater, dacht ze, toen ze het lege glas neerzette, hij was hier gekomen in de veronderstelling dat het hem genezen kon, als was het hier Bethesda.

Nu het lamplicht onbarmhartig zijn gezicht bescheen, zag ze hoe oud hij was. Hoe diepe rimpels wegen gebaand hadden over de wangen, zijn gezicht in beslag hadden genomen, hoe de huid onder de ogen was weggezakt.

Misschien was dit het laatste. Je zag het wel vaker, dat mensen die hecht verbonden waren kort na elkaar stierven omdat ze niet bij machte waren het leven te herzien, of beseften dat er geen doel meer was.

Ze moest nu tegen hem praten, zeggen wat ze al zo lang wilde zeggen. 'Het spijt me dat ik me bij mijn komst hiernaartoe niet voldoende heb afgevraagd wat het voor u moest betekenen als ik onverwacht zou verschijnen. Ik ben van mijn eigen verlangens uitgegaan, van mijn eigen behoefte aan een opa. Dat was omdat mijn vader wegging en ik besefte hoe ik hem miste. Waarschijnlijk hebt u dat wel begrepen, maar u hoeft dat niet te beamen, ik vertel het alleen om u mijn motieven duidelijk te maken. Die waren niet zo zuiver als ik u wilde voorhouden, al was ik dan niet uit op materiële zaken. Althans niet bewust, hoewel ik van dit huis ben gaan houden, van de dingen om u heen, maar pas nadat ik hier kwam.'

Er viel een lange stilte. Was hij in slaap gevallen? Ze zat doodstil, haar jas dicht om zich heengetrokken. Haar ogen brandden van moeheid. 'U had een keuze gemaakt die ik niet respecteerde. U wilde geen contact met de familie en ik begrijp nu hoe pijnlijk het voor u geweest moet zijn dat ik hier kwam, dat ik dingen wilde weten die u verborgen wenste te houden, misschien wel om ze mij te besparen, wie zal het zeggen? Nu geeft het niet meer, het is net of al deze vragen er niet meer toe doen.'

De klokken tikten rustig en regelmatig als de hartslag van iemand in diepe rust. Buiten klonk de roep van een nachtvogel. Ze hield haar handen over haar buik gevouwen op de manier waarop Dini ze over haar schort had gehouden. De schort, bedrukt met rode en blauwe bloemen, in de kleuren van de Franse vlag. Dini's schort zou over de kist moeten liggen, dacht ze.

Ze zag dat zijn hand een beweging maakte, alsof die hand iets wilde zeggen, maar zich op het laatste moment bedacht.

'Eigenlijk was Dini nou de persoon die ik als oma had willen hebben. Haar toewijding aan u…' De tranen liepen over haar wangen, maar ze moest nu verdergaan. 'Ze vond het niet eens erg dat u haar niet bezocht, terwijl ze toch indirect door uw toedoen in het ziekenhuis terecht was gekomen. Als die stok daar niet gelegen had…' Nu lijk ik op hem, dacht ze meedogenloos, meer dan ooit ben ik nu zijn vlees en bloed. Een wreed kleinkind.

Ze praatte door, zacht, ze wist niet of hij haar goed kon verstaan, maar dat gaf niet.

'Ze respecteerde u zelfs. Ze ging zover dat ze zei te begrijpen waarom u haar niet kwam opzoeken, dat het u te veel zou herinneren aan de tijd dat u in ziekenhuizen heer en meester was, en ze zei het met ogen vol liefde. Ik wist niet dat het bestond, dat iemand lief kan hebben door alleen maar te geven.'

Ze moest een paar maal slikken voor ze verder kon. 'U hebt niet eens gevraagd of ze pijn heeft gehad. Of ze nog iets gezegd heeft.'

Zonder het te willen, stond ze ineens op. De klokken sloegen drie uur. Ze wachtte tot het stil was.

'Het lijkt me beter dat ik nu ga. Ik verwijt u niets, ik constateer alleen wat er gebeurd is. Ik denk niet dat het voor u iets uitmaakt dat ik nu vertrek.'

Ze probeerde het trillen van haar handen te verhelpen door ze diep in de zakken van haar jas te houden.

'Misschien hebt u nooit geleerd om lief te hebben, dat kan. Dat spijt me oprecht voor u, en ik meen het. Het zullen altijd de anderen zijn die in uw ogen de fouten maken, of ze nou sterven of u uit vrije wil verlaten, of dat ze om andere redenen uit uw leven verdwijnen, zoals ik nu. Ik sta hier wel te huilen, maar dat is omdat ik zo moe ben, begrijpt u? Ik zal Gigou vragen hierheen te komen.'

Ze liep stijf naar de deur. Waarom verrees voor haar nu het beeld van Iemand die zich bukte om de voeten van Zijn vrienden te wassen? Van Iemand die kwam om te dienen, en niet gediend wilde worden? Ze draaide zich weer om, in een beweging die haar eindeloos leek, en liep langzaam naar de stoel. Hoorde ze hem nu zeggen dat het hem speet? Het maakte niet meer uit, ze verlangde geen excuses meer. Voorzichtig legde ze haar hand op zijn hoofd.

'Opa,' zei ze zacht.